RENCONTRES

Anthologie

MORGAN KENNEY, Editor

D.C. Heath Canada Ltd.

With special thanks to the
Secondary French Revision Committee,
Ministry of Education,
Province of British Columbia

Pat Aders   Robert Laval
Lionel Daneault   Cynthia Lewis
Donald Fraser   Heike Sasaki
Barbara Fudge   Patrick David

Design and Art Direction/Maher and Murtagh
Consultants/MKLP
French Editors/Pierre Karch, Mariel Karch
Illustration/Myra Lowenthal, Graham Bardell, Vesna Krstanovich

Canadian Cataloguing in Publication Data

Main entry under title:
Rencontres

ISBN 0-669-95063-7

1. Canadian literature (French).*   2. French
literature.   I. Kenney, Morgan, 1926-

PS8233.R46   840′.8   C83-098463-1
PQ3913.R46

Printed and bound in Canada by
T. H. Best Printing Company Limited

The publisher has made every effort to contact the copyright holders
of material included in this text. Further information pertaining to
rights on this material would be welcome.

Table des Matières

Rencontres de jeunesse

Rencontres naturistes

Rencontres folkloriques

Rencontres nationales

Rencontres personnelles

L'Identité

Jean-Paul and Rebecca Valette*

Un passeport: Pour voyager à l'étranger, il faut un passeport.

Une carte d'identité: Chaque Français a une carte d'identité.

*All passages in "Rencontres personnelles" are by Jean-Paul and Rebecca Valette, except where noted.

Une carte de crédit: Pour ses achats, on peut utiliser une carte de crédit.

l'achat (m)   purchase

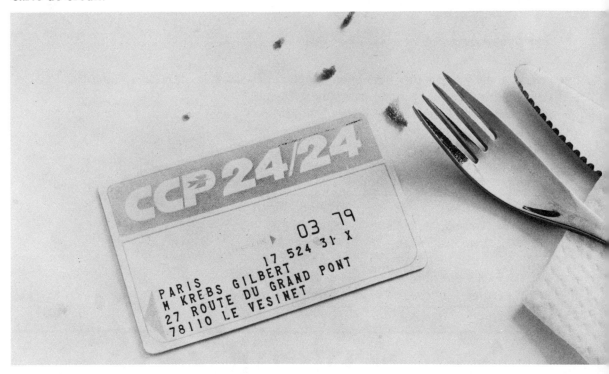

Un permis de conduire: Pour conduire une voiture, il faut un permis.

le permis de conduire
driver's licence

Les Noms

Le Prénom

Les prénoms français sont généralement ceux des saints
du calendrier. Les noms composés sont fréquents:

le prénom   first name

    Garçons: Jean-Pierre, Jean-Claude, Jean-François
    Filles: Marie-Laure, Marie-Françoise, Marie-Cécile
Aujourd'hui les prénoms d'origine étrangère sont plus
fréquents qu'avant: James, Eric, Ivan.
Certains prénoms sont à la mode:

1900	Gaston	Clémentine
1950	Christian, Jean-Paul	Chantal
1960	Bruno, Gérard	Brigitte, Sylvie
1965	Eric, Thierry	Nathalie
1970	Olivier, Laurent	Stéphanie, Christelle
1975	Christophe, Nicolas	Aurélie, Laure, Valérie

Septembre

dimanche	lundi	mardi	mercredi	jeudi	vendredi	samedi
				1 S. Gilles	2 Ste Ingrid	3 S. Grégoire
4 Ste Rosalie	5 Ste Raïssa	6 S. Bertrand	7 Ste Reine	8 Nativité N.D.	9 S. Alain	10 Ste Inès
11 S. Adelphe	12 S. Apollinaire	13 S. Aimé	14 La Ste Croix	15 S. Roland	16 Ste Edith	17 S. Renaud
18 Ste Nadège	19 Ste Emile	20 S. Davy	21 S. Matthieu	22 S. Maurice	23 S. Constant	24 Ste Thècle
25 S. Hermann	26 Ste Justine	27 S. Vinc. de Paul	28 S. Venceslas	29 S. Michel	30 S. Jérôme	

Le Nom

Les noms français les plus courants indiquent
une profession: Boucher, Charpentier, Marin,
    Marchand;
une origine géographique: Dupont, Dulac, Montagne,
    Vallée, Normand;
une couleur: Lebrun, Leblanc, Lenoir, Verdier.

courant   common

le boucher   butcher

le charpentier   carpenter

La Carte d'identité d'Hélène Lefort

C'est le 1er juin à l'Olympia qu'une jolie jeune fille blonde, Hélène Lefort, a été élue Mademoiselle Age tendre. Qui est-elle, qu'aime-t-elle, d'où vient-elle?

élu   elected

Nom: Lefort
Prénom: Hélène
Pseudonyme: sans
Nationalité: française
Date de naissance: le 9 avril 1968
Lieu de naissance: Rosendaël
Nombre de frères: deux (Marcel et Hugues)
Nombre de soeurs: deux (Sylvie et Laurence)
Taille: 1 m 61
Poids: 47 kg
Cheveux: blonds
Yeux: bleus
Signe particulier: aucun
Voix: accent du Nord
Domicile: Rosendaël
Profession: étudiante

la taille   height
le poids   weight

Personnalité
Signe astrologique: Bélier
Caractère: contrariante, sens de la critique
Superstition: pas du tout
Jeux: déteste le jeu
Distraction favorite: les promenades solitaires sur la plage
Personnalité historique admirée: Pythagore
Expression qu'elle emploie le plus souvent: "vachement bien"
Principal défaut: critique tout
Principale qualité: la franchise

le bélier   ram

le défaut   weakness
la franchise   frankness
le goût   taste

Ses Goûts
Couleur: bleu
Fleur: marguerite
Animaux: le chat et le lion
Ville française: Dunkerque
Ville étrangère: Londres
Heure préférée: 7 h du matin
Jour: vendredi, surtout le vendredi 13
Mois: avril
Saison: printemps
Lettre: M
Nombre: 3
Style d'habitation: grande maison bleue

MALO-LES-BAINS
ROSENDAËL Centre Ville

La Personnalité

Astrologie et personnalité

Etes-vous né(e) sous une bonne étoile? Les astrologues croient que les étoiles déterminent le destin et aussi la personnalité de chacun de nous. Voici certaines correspondances entre le signe du zodiaque et la personnalité.

*Verseau
(21 janvier–18 février)
Signe d'air
Planètes: Uranus,
     Saturne
Elan, mystère*

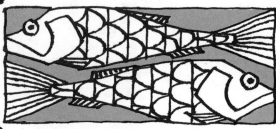

*Poissons
(19 février–20 mars)
Signe d'eau
Planètes: Jupiter,
     Neptune
Sagesse, inspiration*

*Bélier
(21 mars–20 avril)
Signe de feu
Planète: Mars
Action et lutte*

*Taureau
(21 avril–21 mai)
Signe de terre
Planète: Vénus
Charme et douceur*

*Gémeaux
(22 mai–21 juin)
Signe d'air
Planète: Mercure
Intelligence et
     mouvement*

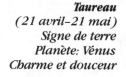

Cancer
(22 juin–22 juillet)
Signe d'eau
Planète: Lune
Rêve et sensibilité

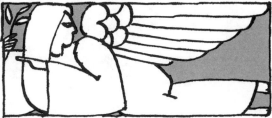

Lion
(23 juillet–23 août)
Signe de feu
Planète: Soleil
Eclat et domination

Vierge
(24 août–23 septembre)
Signe de terre
Planète: Mercure
Intelligence,
sens pratique

Balance
(24 septembre–23 octobre)
Signe d'air
Planète: Vénus
Charme et subtilité

Scorpion
(24 octobre–22 novembre)
Signe d'eau
Planètes: Mars,
Pluton
Action et passion

Sagittaire
(23 novembre–21 décembre)
Signe de feu
Planète: Jupiter
Energie et sagesse

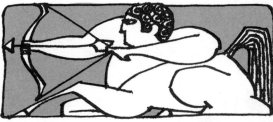

Capricorne
(22 décembre–20 janvier)
Signe de terre
Planète: Saturne
Nostalgie et
persévérance

Qu'est-ce qu'on lit sur un visage?

Y a-t-il un rapport entre l'apparence physique et la personnalité? Beaucoup de gens pensent que oui. Certains trouvent, par exemple, une correspondance très nette entre la forme du visage et le caractère.

le rapport   connection

Avez-vous le visage ovale?

Vous êtes romanesque. Vous êtes aussi impressionnable et un peu timide. Vous avez de l'imagination, mais vous êtes instable. Vous changez souvent d'idées. Vous avez beaucoup d'intuition. Vous n'avez pas beaucoup de patience.

romanesque   fanciful

Avez-vous le visage carré?

Vous avez un sens pratique très développé. Vous êtes réaliste et même un peu sceptique. Vous êtes enclin(e) à imposer vos opinions. Chez vous, la tête commande le cœur.

Avez-vous le visage rond?
Vous êtes réaliste. Vous aimez le confort et les plaisirs.
Vous êtes une personne active. Vous avez l'esprit
d'initiative et l'esprit de conception. Vous aimez
commander. Vous tolérez difficilement d'être
commandé(e).

Avez-vous le visage triangulaire?
Vous êtes une personne sensible et raffinée. Vous avez   sensible   sensitive
beaucoup d'imagination. Vous êtes romantique. Vous
détestez l'ordre et la discipline.

Avez-vous le visage rectangulaire?
Vous avez de grandes ambitions. Vous êtes énergique et
volontaire. Vous aimez commander. Vous avez une très   volontaire   strong-willed
forte personnalité.

Je veux toute toute toute la vivre ma vie

Angèle Arsenault

Refrain:
Je veux toute toute toute la vivre ma vie
Je ne veux pas l'emprisonner
J'la veux toute toute toute
Pas juste des p'tits boutes
Je veux toute toute toute la vivre ma vie

emprisonner   to confine

le boute (C)* le morceau

Laissez-moi donc faire
Si je saute en l'air
Laissez-moi exagérer
Laissez-moi rire si j'ai envie de rire
Mais laissez-moi me tromper

j'ai envie de   I feel like
me tromper   delude myself

Laissez-moi pleurer
Si j'ai du chagrin
Laissez-moi me relever
Laissez-moi vous quitter au petit matin
Mais laissez-moi vous aimer

j'ai du chagrin   je suis triste

au petit matin   tôt le matin

Laissez-moi visiter tous les pays
Laissez-moi me promener
Laissez-moi choisir ma sorte de vie
Mais laissez-moi la trouver

me promener   wander

Laissez-moi le droit de changer ma vie
Laissez-moi recommencer
Laissez-moi aller au bout de ma folie
Mais laissez-moi m'arrêter

aller au bout de   exhaust
la folie   whim

Laissez-moi partir si je veux m'en aller
Laissez-moi couper tous les liens
Laissez-moi même vous abandonner
Mais laissez-moi trouver mon chemin

le lien   tie

Laissez-moi crier si j'ai envie de crier
Laissez-moi me défouler
Laissez-moi tranquille
Laissez-moi laissez-moi
Mais laissez-moi exister

me défouler
  get it out of my system
tranquille   alone

* un mot employé seulement au Canada

Rencontres scolaires

Les Etudes

Jean-Paul and Rebecca Valette*

A la fin de leurs études universitaires, les étudiants
français reçoivent un diplôme comme celui qui paraît
ci-dessous.

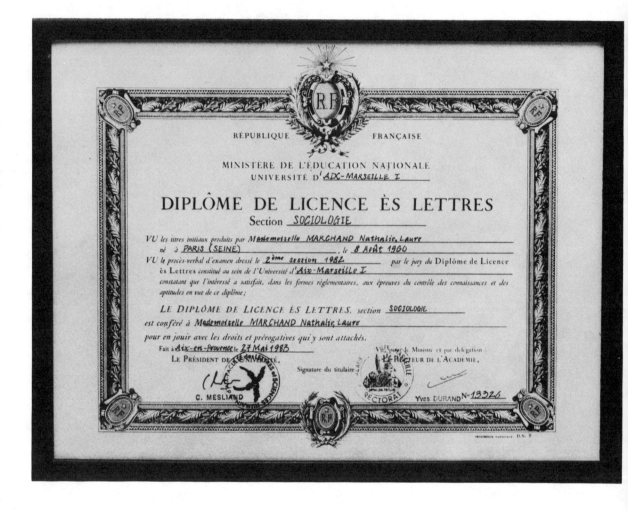

*All passages in "Rencontres scolaires" are by Jean-Paul and Rebecca
 Valette, except where noted.

Petit Catalogue des diplômes français

Diplôme	Age moyen des candidats	Epoque de la scolarité	
			moyen average
			l'époque (f) de la scolarité when diploma granted
Certificat d'études	14 ans	fin des études primaires	
B.E.P.C. (Brevet d'études du premier cycle)	14-16 ans	milieu des études secondaires	
Baccalauréat	17-19 ans	fin des études secondaires	
D.E.U.G. (Diplôme d'études universitaires générales)	18-21 ans	après deux années d'université	
Licence	19-22 ans	après trois années d'université	
Maîtrise	20-23 ans	après quatre années d'université	
Doctorat	22-25 ans	après un minimum de cinq années d'université	

Ce Fameux Bac

Ce fut Napoléon qui institua le bac. Voici quelques étapes dans l'histoire de cet examen qui reste le symbole des études françaises.

l'étape (f)   stage

Le baccalauréat fut instauré en 1809. Cette année-là, il y eut 32 candidats. En 1900, il y en avait 4000. Aujourd'hui, il y en a plus de 250 000.

Le bac a d'abord été un examen exclusivement masculin. La première "candidate" se présenta en 1861. (C'était une institutrice de trente-sept ans!) Aujourd'hui, cinquante-cinq pour cent des candidats sont en réalité… des candidates.

En 1809, le baccalauréat comportait deux options: lettres et sciences. Aujourd'hui il y en a plus de vingt-cinq.

comportait   offered

les lettres (f)   humanities

A l'origine, l'examinateur interrogeait le candidat sur une liste de questions préparées à l'avance et tirées au sort. En un an, le candidat devait apprendre la réponse à cinq cents questions différentes. Ce système donna lieu à la pratique du "bachotage," selon laquelle l'élève apprend par coeur un grand nombre d'informations sans en connaître nécessairement le sens.

tiré au sort   selected at random

donna lieu   gave rise

le bachotage   cramming

Tous les candidats ne sont pas reçus au bac. En 1975, la proportion d'admis est d'à peu près soixante-cinq pour cent.

reçu   passed

Le bac se démocratise. En 1900, seulement un jeune Français sur cent passait le bac. Aujourd'hui, cette proportion est de trente pour cent.

passait   tried

Pour ou contre les examens

Etes-vous pour ou contre les examens? Voici l'opinion de cinq étudiants français.

Jean-Claude (étudiant en lettres):
Quand il y a des examens, on n'étudie pas pour apprendre, on étudie pour être reçu à ces examens. Les examens ne stimulent pas la curiosité intellectuelle. Ils la détruisent. Ils n'encouragent pas les étudiants. Ils les paralysent. Ils leur donnent aussi une idée erronée de leur valeur. En effet, les notes ne mesurent pas l'intelligence, le jugement, l'intuition des étudiants. Au contraire, elles mesurent leur assujettissement à un système rigide et stupide. Je suis contre le système des examens parce que je le trouve profondément anti-intellectuel!

détruisent   destroy
erroné   fausse
la valeur   value
en effet   in fact

l'assujettissement (m)
  submission

Henri (étudiant en sciences):
Jean-Claude est un idéaliste. Je ne suis pas d'accord avec lui. On ne va pas à l'université pour s'amuser. Les étudiants ne sont pas des artistes. Quand on fait des études, on doit acquérir une certaine discipline personnelle de travail. Les examens renforcent cette discipline et stimulent le désir d'apprendre. Je reconnais que c'est un moyen souvent artificiel, mais aujourd'hui tout est artificiel.

acquérir   acquire
renforcent   strengthen

le moyen   means

Brigitte (étudiante en sociologie):
Je condamne le système des examens. Je le trouve non
seulement arbitraire, mais aussi amoral et dangereux.
Pourquoi y a-t-il des examens? Pour sélectionner une
élite professionnelle et par conséquent pour maintenir
les inégalités sociales! Si on est pour la justice et la
démocratie, on est nécessairement contre les examens et
les diplômes.

Albert (étudiant en médecine):
Je n'aime pas les examens, mais je les accepte.
Personnellement, je les trouve absolument nécessaires,
surtout dans la société technologique actuelle. Pour être
médecin aujourd'hui, il faut avoir des connaissances
énormes en biologie, en physiologie, etc. Comment
être sûr que les étudiants acquièrent ces connaissances si
les professeurs ne les soumettent pas au contrôle
fréquent des examens? Les examens et les diplômes
sanctionnent le degré de compétence. Il faut les
maintenir...

actuelle   of today

les connaissances (f)
    knowledge
soumettent   submit
le contrôle   check
sanctionnent   confirment

Martine (étudiante en médecine):
Moi aussi, je suis étudiante en médecine, et je ne suis
pas complètement d'accord avec Albert. C'est vrai,
pour être médecin aujourd'hui, il faut avoir des
connaissances considérables. Mais il faut être aussi
généreux, honnête et humain! Est-ce que les examens
mesurent ces qualités-là? Non, vraiment, posséder un
diplôme n'est pas suffisant!

Etudes en France

Avez-vous l'intention de continuer vos études en France?

Voici le programme des cours offerts à l'Alliance Française à Paris.

Légende

◼ Bâtiment intéressant

● Musée

▲ Musique-Théâtre

✳ Curiosité

🏛 Gare

🏢 Bureaux d'informations

🏠 Auberge de la Jeunesse

◆ Foyer de l'UCJG

◇ Foyer de l'UCJF

Paris

1 Notre-Dame
2 Sainte-Chapelle
3 Panthéon
4 Palais Royal
5 La Madeleine
6 Arc de Triomphe
7 Palais de Chaillot
8 Tour Eiffel
9 Hôtel des Invalides

10 UNESCO
11 Sacré-Cœur
12 Basilique de St-Denis
13 Chât. de Versailles
14 Musée de Malmaison
15 Musée du Louvre
16 M. d'Arts Décoratifs
17 M. du Jeu de Pomme
18 M. d'Art Moderne
19 Musée Rodin
20 Musée Cluny

21 Maison de la Radio
22 Salle Gaveau
23 Salle Pleyel
24 Opéra
25 Opéra Comique
26 Comédie Française
27 Th. de l'Est Parisien
28 Théâtre de France
29 Théâtre Nat. Popul.
30 Théâtre de la Ville
31 Jardin des Tuileries

A - PARIS – Paris XIII - Alliance française

École internationale de langue
et de civilisation françaises
Alliance française
101, boulevard Raspail
75006 Paris
Tél. : 544-38-28
M. Yves REY-HERME

MINISTÈRE DES RELATIONS EXTÉRIEU
SOUS-DIRECTION DES ÉCHANGES LINGUISTIC

COURS
ÇAIS POUR ÉTUDIAN
ÉTRANGERS

B.

NATURE DES COURS DISPENSÉS	ORGANISATION DES ÉTUDES
I - Cours pour débutants complets : 10 heures hebdomadaires × 4 semaines minimum 20 heures hebdomadaires × 4 semaines minimum Début : au commencement de chaque mois L'étudiant choisit la durée	Date : toute l'année Montant des droits : première inscription : 50 F 500 F par mois pour 10 heures hebdomadaires 1 000 F par mois pour 20 heures hebdomadaires Conditions d'inscription : être âgé de 16 ans au moins être scolarisé dans sa propre langue et connaître les caractères français Les élèves de moins de 16 ans sont acceptés avec autorisation des parents.
II - Cours d'entretien et de perfectionnement : Préparation aux : Certificat de français parlé Diplôme de langue française Diplôme supérieur d'études françaises modernes Certificat d'études commerciales en langue française (le visa du ministère de l'Éducation est apposé sur ces diplômes) ● entretien 10 ou 20 heures hebdomadaires × 4 semaines minimum cours de conversation ● perfectionnement 10 ou 20 heures hebdomadaires × 4 semaines minimum	Date : id. I Montant des droits : id. I Conditions d'inscription : id. I
III - Cours spéciaux : ● cours de français commercial a) cours de traduction commerciale (anglais-français, allemand-français) b) cours traducteur commercial (anglais-français, allemand-français) ● cours de mise à niveau pour suivre des études universitaires a) cours du Diplôme supérieur (10 ou 20 heures hebdomadaires × 4 semaines minimum) : littérature, civilisation, phonétique, grammaire supérieure b) cours de professorat (pour l'obtention du brevet d'aptitude à l'enseignement du français hors de France) c) cours pour la préparation au Certificat d'aptitude à la didactique du français langue étrangère, délivré par l'Université de Paris-Nord ● stages pédagogiques pour les professeurs de français	Dates : id. I Montant des droits : id. I Conditions d'inscription : id. I Dates : Hiver : 4 semaines en janvier
Écrire à M. Pierre GIBERT, responsable des stages pédagogiques, Alliance française, 101, bd Raspail, 75270 Paris Cedex 06.	Printemps : 2 semaines à Pâques Été : 4 semaines en juillet Montant des droits : Hiver : 600 F Printemps : 350 F Été : 600 F Conditions d'inscription : s'adresser au Centre

C

I - HÉBERGEMENT :
L'École fournit des listes d'adresses et de travail « au pair ».

II - LOISIRS :
Conférences gratuites et loisirs touristiques assurés par l'École.

Les Cancres de génie

Est-ce que les génies ont été des élèves supérieurs? Pas nécessairement! Un grand nombre de personnes qui ont marqué leur époque considérait l'école comme un martyre! Des exemples? Il y en a des milliers.

le cancre   l'élève paresseux

l'époque (f)   period
le martyre   martyrdom

Beethoven, Rossini et Verdi étaient mauvais... même en musique.

Léonard de Vinci, Gauguin, Monet, Picasso étaient récalcitrants aux études.

récalcitrant   rebellious

Newton, Darwin et Pasteur ont récolté des places de derniers.

récolté   obtained

Mendel, qui découvrit les lois de l'hérédité, n'a jamais pu passer l'examen de maître d'école.

la loi   law

Einstein, le père de la relativité, était d'une nullité scandaleuse dans certaines disciplines: la botanique, la zoologie et l'anglais.

la nullité   washout

Franklin et Gandhi étaient zéros en calcul.

Churchill était totalement allergique au latin.

Napoléon, le génie militaire de son temps, était incapable d'utiliser un fusil... Mais à l'école c'était une terreur. Il se battait contre ses camarades. Il torturait son frère Joseph. Il ridiculisait ses professeurs. Il ne respectait qu'une seule personne: sa mère.

le fusil   gun

Conclusion: Il n'y a pas de règle pour devenir un génie.

la règle   guide

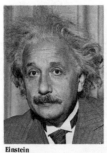
Einstein

Beethoven

Gandhi

Rossini

de Vinci

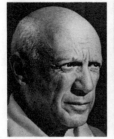
Picasso

Napoléon

Verdi

Darwin

Churchill

Page d'écriture

Jacques Prévert

Deux et deux quatre
quatre et quatre huit
huit et huit font seize ...
Répétez! dit le maître   le maître   le professeur
Deux et deux quatre
quatre et quatre huit
huit et huit font seize.
Mais voilà l'oiseau-lyre   l'oiseau-lyre (m)   lyre bird
qui passe dans le ciel
l'enfant le voit
l'enfant l'entend
l'enfant l'appelle:
Sauve-moi
joue avec moi
oiseau!
Alors l'oiseau descend
et joue avec l'enfant
Deux et deux quatre ...
Répétez! dit le maître
et l'enfant joue
l'oiseau joue avec lui ...
Quatre et quatre huit
huit et huit font seize
et seize et seize qu'est-ce qu'ils font?
Ils ne font rien seize et seize
et surtout pas trente-deux
de toute façon   de toute façon   in any case
et ils s'en vont.
Et l'enfant a caché l'oiseau
dans son pupitre
et tous les enfants
entendent sa chanson
et tous les enfants
entendent la musique
et huit et huit à leur tour s'en vont
et quatre et quatre et deux et deux
à leur tour fichent le camp   à leur tour   in their turn
et un et un ne font ni une ni deux   fichent le camp   s'en vont
un à un s'en vont également.   également   aussi
Et l'oiseau-lyre joue
et l'enfant chante
et le professeur crie:
Quand vous aurez fini de faire le pitre!   le pitre   le clown

Mais tous les autres enfants
écoutent la musique
et les murs de la classe
s'écroulent tranquillement.
Et les vitres redeviennent sable
l'encre redevient eau
les pupitres redeviennent arbres
la craie redevient falaise
le porte-plume redevient oiseau.

s'écroulent   tombent
la vitre   windowpane
le sable   sand

la falaise   cliff
le porte-plume   penholder

Rencontres féministes

Les Femmes sans nom

Paul Pimsleur

Il y a cinquante millions de Français; plus de la moitié
(cinquante-deux pour cent) sont du sexe féminin; et
trente-trois pour cent de ces femmes françaises jouent,
par leur travail, un rôle actif dans la Nation.

la moitié   half

Quelle est la situation de cette majorité féminine?

On dit souvent que la femme française est libre,
qu'elle a les mêmes droits que l'homme. Que pensez-
vous alors de cet incident, qui est arrivé à une Française,
Mme Evelyne Sullerot?

J'étais au bord de la mer, au début du mois d'août, avec
mes enfants. Mon mari savait que nous avions besoin
d'argent pour faire une excursion, et il m'a envoyé un
mandat télégraphique. Je suis allée chercher l'argent au
bureau de poste, avec mon passeport comme pièce
d'identité. Là, l'employée m'a dit:

au bord de la mer   at the seaside
le début   le commencement

le mandat télégraphique
  money sent by wire

— Je ne peux pas vous donner cet argent, madame; il
est pour M. Sullerot.

— Mais M. Sullerot me l'a envoyé!

— Peut-être, mais le mandat est au nom de Sullerot,
sans "Madame." Donc je ne peux pas le donner à une
femme.

J'essaie d'expliquer que je n'ai plus d'argent, que je
dois partir avec les enfants. En vain. L'employée
m'explique que mon nom de femme mariée doit être
précédé de "Madame."

La nécessité m'a donné de l'imagination. J'ai appelé
un de mes fils, qui m'attendait dehors. Il a treize ans.
J'ai demandé à l'employée:

dehors   outside

— Et lui, il peut recevoir l'argent?

— Oui, madame, s'il a une pièce d'identité.

J'ai dit à mon fils de courir vite chercher sa carte
d'identité à la maison. Dix minutes plus tard il revient
en courant, montre à l'employée la carte d'identité (avec
une photo de lui à sept ans!) et reçoit la grosse somme
d'argent qu'on avait refusée à sa mère.

— Cet argent est à moi maintenant, dit-il, triomphant.

Il finit par me le donner, mais en remarquant avec
raison:

finit par   finally he

— Je comprends maintenant, maman. Les femmes ont
besoin des hommes, car sans eux elles n'existent même
pas!

Je veux laisser mon nom

Angèle Arsenault

Elle m'a dit
Je veux laisser mon nom
Je veux faire quelque chose
Quelque chose de ma vie

Je n'peux plus passer mes journées
A boire du café
Je n'peux plus passer mes soirées
A regarder la télé
Je n'peux plus passer mes semaines
A attendre que le beau temps revienne
Je n'peux plus passer mes années
A me dire qu'un beau matin
Tout cela va changer, non

Je veux laisser mon nom
Je veux faire quelque chose
Quelque chose de ma vie

Ah! je devrais peut-être me taire   me taire   keep quiet
Et m'en aller soigner ma belle-mère   soigner   to take care of
Je devrais peut-être aussi
Nettoyer les dessous du lit   nettoyer   clean
Mais je sais jouer le piano   le dessous   the floor
Lorsque j'étais jeune je chantais soprano
Y a si longtemps que j'ai oublié
Je ne sais même plus comment chanter   même   even

Je veux laisser mon nom
Je veux faire quelque chose
Quelque chose de ma vie

Rencontres
artistiques

Le Vol de «la Joconde»

Paul Pimsleur

Le mardi 22 août 1911, les journaux français annoncent que "la Joconde," le célèbre tableau de Léonard de Vinci, a été volée. Ce tableau est souvent appelé Monna Lisa.

le vol   theft
le tableau   painting

L'histoire de ce vol mystérieux commence le jour avant, le lundi 21 août. Le Louvre, le musée où ce célèbre tableau est exposé au public, est fermé tous les lundis. Ce matin-là trois ouvriers entrent dans le musée. A sept heures vingt, ils s'arrêtent dans la salle où "la Joconde" est exposée.

l'ouvrier (m)   workman

— C'est le tableau le plus précieux du monde, dit un des ouvriers en regardant le sourire mystérieux de Monna Lisa.

le sourire   smile

Une heure plus tard, les trois hommes traversent encore une fois la salle. Mais cette fois-ci "la Joconde" n'est pas là.

traversent   pass through

— Ah, ah, dit un des hommes, ils l'ont cachée. Ils ont peur de nous.

La journée passe et personne ne dit rien. Le lendemain, le 22 août, Louis Béroud arrive. Il est peintre et il veut copier le célèbre tableau de Léonard de Vinci.

le peintre   painter

— Où est "la Joconde"? demande-t-il à M. Poupardin, le gardien.

— Chez le photographe, répond M. Poupardin.

En vérité il ne sait pas où elle est. Mais si "Monna Lisa" n'est pas à sa place, il croit que le photographe est probablement en train de la photographier.

en train de   in the process of

A midi, M. Béroud commence à s'impatienter.

— Où est "la Joconde"? demande-t-il encore une fois au gardien.

— Je vais demander, répond M. Poupardin.

Dix minutes plus tard le gardien revient. Il est très pâle. C'est en tremblant qu'il dit:

— Le photographe ne l'a pas.

Ainsi, avec un retard d'un jour et demi, on découvre que le tableau le plus précieux du monde a été volé.

ainsi   so
le retard   delay
on découvre   it is discovered
une centaine   about a hundred

En peu de temps, il y a une centaine d'agents de police dans le musée. On demande aux visiteurs de partir, on ferme les portes et on cherche partout. Bientôt, on trouve le cadre vide de "la Joconde." On questionne les gardiens. Ils sont tous certains que

le cadre   frame

le tableau n'a pas quitté le Louvre. On continue à chercher. On regarde partout dans l'immense musée. Rien.

Les jours passent. Toute la police de France et d'Europe cherche "Monna Lisa," peinte en 1504 à Florence par Léonard de Vinci et achetée en 1518 par François 1er, roi de France. On inspecte les trains. On questionne des centaines de suspects. Mais on ne trouve rien.

peint   painted

Les semaines, les mois, les années passent. Toujours rien.

En décembre 1913, deux ans et trois mois après le vol de "la Joconde," un marchand d'art à Florence reçoit une lettre étrange:

Cher M. Géri,
    Je suis italien. C'est moi qui ai pris "la Joconde" au Louvre en 1911. J'ai fait cela pour rendre à l'Italie un des nombreux chefs-d'oeuvre volés par les Français.
                    Léonardo

nombreux   numerous

"C'est un fou," croit M. Géri, le marchand. Cependant, il répond à la lettre. Le 11 décembre 1913, M. Géri rend visite à Vincenzo Léonardo à l'Hôtel Tripoli-Italia. Il entre dans la chambre de M. Léonardo. M. Léonardo cherche sous son lit, tire une grande valise et sort un paquet plat. Il ouvre le paquet. M. Géri est stupéfait. Voici, devant lui, le célèbre sourire de Monna Lisa. C'est bien "la Joconde."

plat   flat

On informe le roi d'Italie, le pape, l'ambassadeur de France, même le Parlement italien.

le roi   king
le pape   Pope

Le 31 décembre 1913, "la Joconde" arrive à Paris, gardée par vingt agents de police. On la met à sa place dans le Louvre. Ce jour-là cent mille personnes viennent la voir.

Mais pourquoi Vincenzo Léonardo, qui s'appelle vraiment Vincenzo Perugia, a-t-il volé "la Joconde"? Voici ce qu'il dit: "J'ai lu que Napoléon a volé 'la Joconde' à Florence. J'ai voulu la rendre à l'Italie."

Parce que l'opinion italienne était pour M. Perugia, il n'est resté que six mois en prison.

Pour faire le portrait d'un oiseau

Jacques Prévert

Peindre d'abord une cage   peindre   paint
avec une porte ouverte
peindre ensuite   ensuite   puis
quelque chose de joli
quelque chose de simple
quelque chose de beau
quelque chose d'utile   utile   useful
pour l'oiseau
placer ensuite la toile contre un arbre   la toile   canvas
dans un jardin
dans un bois   le bois   woods
ou dans une forêt
se cacher derrière l'arbre
sans rien dire
sans bouger…
Parfois l'oiseau arrive vite   parfois   quelquefois
mais il peut aussi bien mettre de longues années
avant de se décider
Ne pas se décourager
attendre
attendre s'il le faut pendant des années   s'il le faut   s'il est nécessaire
la vitesse ou la lenteur de l'arrivée   la vitesse   speed
de l'oiseau n'ayant aucun rapport   la lenteur   slowness
                                                                   aucun rapport   no relationship
avec la réussite du tableau   la réussite   success
Quand l'oiseau arrive
s'il arrive
observer le plus profond silence
attendre que l'oiseau entre dans la cage
et quand il est entré
fermer doucement la porte avec le pinceau   le pinceau   brush
puis
effacer un à un tous les barreaux   le barreau   bar
en ayant soin de ne toucher aucune des plumes de   ayant soin   taking care
   l'oiseau
Faire ensuite le portrait de l'arbre

en choisissant la plus belle de ses branches
pour l'oiseau
peindre aussi le vert feuillage et la fraîcheur du vent   le feuillage   foliage
la poussière du soleil   la fraîcheur   freshness
                                                             la poussière   dust
et le bruit des bêtes de l'herbe dans la chaleur de l'été   la chaleur   heat
et puis attendre que l'oiseau se décide à chanter
Si l'oiseau ne chante pas
c'est mauvais signe
signe que le tableau est mauvais
mais s'il chante c'est bon signe
signe que vous pouvez signer
alors vous arrachez tout doucement   arrachez   pull out
une des plumes de l'oiseau
et vous écrivez votre nom dans un coin du tableau.

Rencontres humaines

Le Petit Riche

Andrée Maillet

Il y avait un petit garçon qui vivait en haut de la rue, dans une belle maison de brique, séparée du trottoir par un parterre.

le trottoir   sidewalk
le parterre   lawn

Le petit garçon ne venait jamais jouer avec nous dans la ruelle, dans les cours en arrière des maisons. Il n'allait pas à l'école ce chanceux-là. Ses parents ne le mettaient pas dehors par tous les temps en lui disant: "Va donc jouer," comme cela se passe chez nous; il faut bien débarrasser le logement.

la ruelle   back lane

Mon père est chauffeur pour la grande bâtisse du coin, près du chemin de fer. Il chauffe la fournaise. L'an dernier, il chauffait aussi la belle maison de brique en haut de la rue, dans la montagne. Il m'emmenait avec lui quelquefois. Je l'attendais devant le perron. Le petit garçon regardait par la fenêtre. Moi, je sautais dans la neige sur un pied et puis sur l'autre, pour ne pas geler; lui il me faisait des grimaces. Les gens de la belle maison ont fait installer le chauffage à l'huile, alors mon père n'y va plus.

débarrasser   to clear
le logement   la maison
le chauffeur   stoker
la bâtisse   le bâtiment

emmenait   used to take
le perron   front steps

le chauffage à l'huile (C)   oil heating

De temps en temps, mes amis Pitou et Ti-Paul, et moi, nous faisons une marche après l'école. Nous montons la rue qui est bien longue, passé Dorchester, passé Sainte-Catherine, passé Sherbrooke, plus haut encore, jusqu'à la belle maison du petit riche.

Il est toujours assis sur des coussins de velours, dans la fenêtre du salon, une belle grande fenêtre en rond, avec des rideaux de dentelle; on voit une table où il y a toujours un gros bouquet de fleurs et une cage avec des serins. Le petit riche, quand il nous voit, grimace tout le temps, il nous tire la langue. Parfois la servante ouvre la porte et elle nous crie:

le coussin de velours   velvet cushion

le rideau de dentelle   lace curtain

le serin   canary
tire la langue   sticks out his tongue

— Allez-vous-en chez vous! Laissez Douglas tranquille, petits galvaudeux, ou bien, j'appelle la police.

le galvaudeux   scoundrel

Alors, nous, on se sauve et puis, au bout de quelques minutes, on revient. A notre tour nous tirons la langue à Douglas, nous nous le montrons du doigt et nous rions de lui comme il faut.

se sauve   s'en va
au bout de   après

montrons du doigt   point at
comme il faut   bien

Douglas se met à pleurer, une vraie honte. Il a bien dix ans, je pense, à lui voir l'air. La servante revient pour nous chasser encore et nous nous sauvons pour de bon.

se met à   commence à
une vraie honte   a real disgrace
à lui voir l'air   from the look of him
pour de bon   once and for all

Si seulement Douglas pouvait sortir, nous lui

flanquerions une bonne volée pour lui apprendre à
narguer le monde; mais il ne sort jamais. Il reste
toujours là, derrière la vitre de son beau salon, avec ses
cheveux frisés, ses collets blancs, ses fleurs et puis ses
serins.

Un jour, c'est la Fête de l'Immaculée Conception et
nous avons congé. Pitou nous dit:

— Ce matin, si on allait voir Douglas? Il a peut-être
bien d'autres grimaces à nous montrer?

Ti-Paul et moi n'avons rien d'autre à faire et nous
montons la rue tous les trois. Il fait froid, mais bien
beau. En arrivant chez Douglas, qu'est-ce qu'on
aperçoit? Une grande auto noire, une espèce de camion
avec quelque chose d'écrit dessus en anglais: il y a
d'autres enfants dans le camion. La porte de la belle
maison s'ouvre et voilà Douglas qui paraît, tout
enveloppé dans une couverture écossaise et porté par
un homme.

La servante nous voit et se met à crier:

— Petits méchants, allez-vous laisser Douglas
tranquille une bonne fois? Non, mais voilà-t-y des
enfants sans coeur pour venir rire comme ça d'un petit
infirme!

Mais Douglas qui fait semblant de ne pas nous voir,
tourne la tête et lui dit:

— Néveurmagne, Laurette.

Ti-Paul, Pitou et moi, nous nous mettons à courir
jusqu'en bas de la rue. Rendus presque chez nous, nous
nous regardons. Je pense que j'ai l'air aussi bête que
Ti-Paul.

Pitou, lui, est fâché.

— Viens jouer au bandit sur les rails, que je lui
propose.

— Non, me dit-il. Toi, t'es rien que bon pour faire
peur aux filles, et puis aux chats; t'es rien que bon pour
rire des petits gars qui ont pas de jambes. Je m'en vas
chez nous.

— Eh bien, salut donc!

— Salut!... Et puis il s'en va pour de vrai.

Je l'ai jamais vu fâché de même.

— Viande! fait Ti-Paul.

Moi, je ne dis rien. J'ai compris bien des choses.

La veille de Noël, je retrouve mes amis au coin de la
rue. On n'était pas remontés à la belle maison depuis
l'autre fois.

— Allez-vous avoir des étrennes, les gars?

Ti-Paul se tortille un peu.

— Cela fait deux ans que je demande un traîneau au
Père Noël. Il ne m'oubliera peut-être pas cette année.

— Moi, dit Pitou, ma tante qui tient restaurant va me donner un sac de classe tout neuf.

— C'est pas des étrennes, ça!

— Je te dis que c'est toute!

— Ne te choque donc pas tout le temps. Ecoutez! Moi, j'ai rêvé hier à tout ce que Douglas va recevoir pour Noël: un train électrique, des beaux livres dorés, des paniers de bonbons...

— Ouais, dit Ti-Paul, sans aucune envie. Mais nous autres, les gars, on peut marcher.

Le lendemain, jour de Noël, il vient pas mal de visite chez nous. C'est ennuyeux pour les enfants. Après le dîner, Ti-Paul et Pitou viennent me chercher.

J'ai eu des bottines neuves, Pitou a eu son sac de classe, Ti-Paul n'a rien eu. Comme on ne peut pas jouer avec ça, on décide d'aller voir Douglas, pour voir.

Devant la maison, dans le parterre, il y a un arbre haut comme ça, tout décoré, un arbre qui brille même en plein jour. Des enfants bien habillés portant tous de beaux cadeaux pour Douglas, entrent dans la maison. Chaque fois que la porte s'ouvre, on entend de la musique.

Il y a une belle fête chez Douglas, mais lui, il est toujours dans un coin de la fenêtre et regarde dehors, avec un air bien triste.

Nous allons dans le parterre et comme la neige est molle et collante, nous faisons un gros bonhomme à côté de l'arbre de Noël. Pitou lui met ses mitaines et sa tuque. Ti-Paul fait le tour du bonhomme de neige en marchant sur les mains, la tête en bas, et moi, je me plante devant la fenêtre et je chante "Adeste Fideles" que j'ai appris à l'école.

Douglas est toujours là, devant un tas de cadeaux qu'il n'a même pas touchés.

Il nous regarde faire sans nous tirer la langue et, quand nous avons fini de lui montrer toutes nos culbutes, il tape dans ses mains, en éclatant de rire.

neuf   nouveau

toute (C)   tout
te choque   te fâche

doré   gilt-edged

ouais   oui
sans aucune   without any

pas mal   beaucoup
ennuyeux   pas intéressant

la bottine   boot

molle et collante
  wet and heavy

le tas   pile

il nous regarde faire
  he watches us

la culbute   somersault
tape dans ses mains   claps
en éclatant   bursting out

La Main dans la poche

Raymond Lévesque

La main dans la poche,
Chacun sa monnaie,   la monnaie   loose change
C'est la solitude.
La main dans la poche,
C'est c'qui nous sépare
Toute notre vie.
Nous sommes seuls,
La main dans la poche.
Chacun pour soi,   soi   himself
Chacun sa petite vie,
La main dans la poche.
Et lorsqu'on donne,
Et lorsqu'on prête,
La main dans la poche,
Il y a de la gêne,   la gêne   embarrassment
Il y a un froid.
La main dans la poche,
Tout est difficile,
Y'a rien de possible.   y'a rien   il n'y a rien
La main dans la poche,
Le monde est affreux,   affreux   terrible
Le monde est perdu.
La main dans la poche,
La peur du lendemain,
La peur toujours nous tient,
La main dans la poche.
Alors on calcule,
On fait attention,
On donne très peu,
Prête prudemment.   prudemment   carefully
Tout notre coeur,
Tout notre cerveau,   le cerveau   brain
Ont, sans cesse,   sans cesse   endlessly
La main dans la poche.
Toute notre vie
Est, toujours, gâchée   gâché   spoiled
La main dans la poche.

Gens du pays

Gilles Vigneault

Le temps que l'on prend pour dire: Je t'aime
C'est le seul qui reste au bout de nos jours
Les voeux que l'on fait, les fleurs que l'on sème
Chacun les récolte en soi-même
Aux beaux jardins du temps qui court

au bout   à la fin
le voeu   wish
sème   sows
récolte   reaps
soi-même   oneself

Gens du pays c'est votre tour
De vous laisser parler d'amour

Le temps de s'aimer, le jour de le dire
Fond comme la neige aux doigts du printemps
Fêtons de nos joies, fêtons de nos rires
Ces yeux où nos regards se mirent
C'est demain que j'avais vingt ans

fond   melts

se mirent   are reflected

Gens du pays c'est votre tour
De vous laisser parler d'amour

Le ruisseau des jours aujourd'hui s'arrête
Et forme un étang où chacun peut voir
Comme en un miroir l'amour qu'il reflète
Pour ces coeurs à qui je souhaite
Le temps de vivre leurs espoirs

le ruisseau   brook
l'étang (m)   pond
reflète   reflects
souhaite   wish
l'espoir (m)   hope

Gens du pays c'est votre tour
De vous laisser parler d'amour

Gilles Vigneault, Les Nouvelles Editions de l'Arc, Montréal

Déjeuner du matin

Jacques Prévert

Il a mis le café
Dans la tasse
Il a mis le lait
Dans la tasse de café
Il a mis le sucre
Dans le café au lait
Avec la petite cuiller
Il a tourné
Il a bu le café au lait
Et il a reposé la tasse
Sans me parler
Il a allumé   allumé   lit
Une cigarette
Il a fait des ronds   fait des ronds   made rings
Avec la fumée   la fumée   smoke
Il a mis les cendres   la cendre   ash
Dans le cendrier   le cendrier   ash tray
Sans me parler
Sans me regarder
Il s'est levé
Il a mis
Son chapeau sur sa tête
Il a mis
Son manteau de pluie
Parce qu'il pleuvait
Et il est parti
Sous la pluie
Sans une parole   la parole   le mot
Sans me regarder
Et moi j'ai pris
Ma tête dans ma main
Et j'ai pleuré.

Le Garçon d'ascenseur

Monique Champagne

Son nom est Eudore, nom sans force, nom que l'on prononce facilement sans ouvrir la bouche, nom mou comme Eudore lui-même, garçon d'ascenseur de l'entreprise de la rue Christophe.

le garçon d'ascenseur
  elevator operator

Eudore ne se rappelle plus le jour où il a commencé à travailler. Est-il même un temps où l'ascenseur existait sans lui? Depuis toujours, pendant toute la journée, il le fait monter et puis descendre et remonter suivant un rythme uniforme. Il l'arrête juste au niveau de chaque plancher, ni plus haut ni plus bas. Ensemble ils répondent aux appels. Semaine après semaine, ils parcourent des milles tous les deux en bons amis.

fait monter   makes it go up
suivant   following
le niveau   level

parcourent   cover

Eudore est le maître et le serviteur. L'ascenseur, c'est Eudore, et Eudore, c'est l'ascenseur. Ils sont très unis.

le serviteur   servant

uni   united

Tous les matins, Eudore quitte sa petite maison près de la ville. Comme tous les employés modestes, il prend le tramway et commence son voyage d'une heure et demie.

Bien sûr, il pourrait habiter plus près de l'entreprise, trouver une chambre avec accès à la cuisine, tout comme le gardien. Bien sûr, ça lui éviterait de se lever si tôt. Mais la campagne, hein! C'est quand même joli à six heures du matin et puis ça sent meilleur. Au printemps, il y a l'odeur du muguet autour de la maison, et puis on entend mieux les oiseaux, on voit mieux le ciel. Et le soir, sur la véranda avant d'aller dormir, on peut regarder son arbre et son herbe comme les gens d'Outremont.

le gardien   watchman
éviterait   would spare

sent   smells
le muguet   lily of the valley

Outremont   un quartier de
  Montréal

— Bah! C'est pas grand-chose, dit Eudore, mon jardin, c'est grand comme un mouchoir.

Ça le tient occupé les fins de semaine. Il oublie son cher ascenseur en bêchant.

en bêchant   while digging

Les autres employés de l'entreprise considèrent Eudore comme un pauvre idiot. C'est vrai qu'il ne sait pas grand-chose, qu'il se laisse bousculer facilement et qu'il accepte les moqueries des plus jeunes avec le sourire. Mais Eudore est heureux. Entre son jardin et son ascenseur, Eudore est content de la vie.

se laisse bousculer
  lets himself be shoved around

Hier matin, vers dix heures, le petit messager du cinquième, où se trouve l'administration, sonne l'ascenseur. Eudore part du deuxième, se pose au cinquième et ouvre toutes grandes les portes.

— Eudore, le directeur veut te voir. Vas-y tout de suite, je vais prendre ta place.

Eudore, un peu perdu, quitte sa cage avec appréhension et va vers le grand bureau.

Il frappe, ouvre la porte et se trouve dans une immense pièce avec des tapis couleur de l'herbe et des rideaux aux reflets d'automne tout le long du mur. Eudore est troublé. C'est un peu comme s'il se trouvait dans un autre monde, comme si son ascenseur lui avait joué un mauvais tour et l'avait abandonné sur une autre planète.

Derrière le bureau, au fond de la pièce, il voit le directeur qui lui sourit.

— Mon cher Eudore, mon bureau de direction vient de prendre une décision. Cette décision est tout à l'honneur de notre maison, qui a toujours été pour le progrès. Dans un mois, nous remplacerons le vieil ascenseur par une machine ultra-moderne. Machine entièrement automatique. Il est bien entendu que nous prenons en considération vos longues années de service, et que nous vous paierons une pension plus que raisonnable. Ceci dit, attendu que …

Mais ce n'est plus qu'un grondement qui résonne aux oreilles d'Eudore. "Machine ultra-moderne … complète-ment automatique … ultra-moderne … automatique … moderne …"

Eudore sent comme un grand trou dans son coeur. Son cher ascenseur, son vieil ami de toujours. Est-ce possible que toute sa vie se casse d'un coup sec, comme une corde qui lâche?

Il ne voit plus le directeur qu'à travers un brouillard.

— Eh bien! mon cher Eudore, à partir du vingt, vous serez en grandes vacances payées. Je me réjouis avec vous.

— Merci, monsieur le directeur, merci.

Et Eudore sort du bureau tout humble. Il retourne un peu plus courbé vers sa cage. Il sonne, l'ascenseur vient vers lui.

— Merci, Alfred.

— Pas sérieux, chez le directeur?

— Non, pas sérieux … merci Alfred.

Le coeur déchiré, les doigts tremblants, Eudore reprend sa place et finit la journée bravement, lui et son vieil ascenseur.

Et personne n'a vu le grand vide dans l'âme d'Eudore.

Et le soir, ce n'est plus le même Eudore qui arrose les jacinthes.

Et ce ne sera jamais plus tout à fait le même Eudore.

---

aux reflets (m) d'automne with autumn hues

le tour   trick

le fond   back

le bureau de direction board of directors

remplacerons   will replace

entièrement   complètement
entendu   understood

le grondement   le bruit
résonne   rings

sent   feels

se casse d'un coup sec   snaps
lâche   breaks
à travers   through
à partir de   beginning
réjouis   rejoice

courbé   stooped

déchiré   in tatters

l'âme (f)   soul

arrose   waters
la jacinthe   hyacinth

La Parure

Guy de Maupassant

Mathilde Loisel était très belle et très malheureuse. Son mari travaillait au Ministère où il ne gagnait que très peu d'argent; Mathilde souffrait continuellement de la pauvreté de son appartement, de la laideur de ses meubles et de la vie monotone et ennuyeuse qu'elle menait. Elle se sentait belle, née pour toutes les délicatesses et tous les luxes. Elle pensait aux grands salons, aux serviteurs en uniforme ...

    Et quand elle s'asseyait pour dîner devant sa petite table misérable, en face de son mari fatigué et pauvre, elle pensait aux grands dîners servis en des vaisselles merveilleuses ...

    Elle n'avait pas de bijoux, pas de colliers, rien. Et elle n'aimait que cela; elle se sentait faite pour cela, pour porter des bijoux, être enviée, admirée ...

    Un soir son mari rentra, une large enveloppe à la main.

    —Tiens, dit-il, voici quelque chose pour toi.

    Elle déchira vite le papier et en tira une carte qui portait ces mots:

> *Le Ministre prie M. et Mme Loisel de lui faire l'honneur de venir passer la soirée au Ministère le lundi 18 janvier.*

    —Mathilde, ce sera un grand bal, lui dit son mari.

    Au lieu d'en être heureuse, comme l'espérait M. Loisel, elle jeta l'invitation sur la table.

    —Mais, ma chérie, je pensais que tu serais contente. Tu ne sors jamais, et c'est une occasion, cela, une belle! Tu verras là tout le monde officiel.

    Elle déclara avec impatience:

    —Qu'est-ce que je vais me mettre sur le dos pour aller là?

    Il n'y avait pas pensé. Surpris il vit que sa femme pleurait. Deux grosses larmes descendaient lentement des coins des yeux vers les coins de la bouche.

    Elle dit enfin:

    —Je n'ai rien à me mettre. Je ne peux aller à ce bal.

    Il était désolé. Il recommença:

    —Voyons, Mathilde. Combien cela coûterait-il, une robe?

    Elle répondit en hésitant:

    —Quatre cents francs.

    C'était tout ce qu'il avait.

---

la parure necklace

souffrait suffered
la laideur ugliness
ennuyeuse boring

les délicatesses (f) niceties

les bijoux (m) jewellery
le collier necklace

tiens here
déchira tore

au lieu de instead of

ma chérie my darling

vit saw
la larme tear

— Bien, dit enfin son mari. Je te donne quatre cents francs.

Le jour du bal approchait et Mme Loisel semblait triste, inquiète, anxieuse. Elle avait acheté cependant une belle robe.

inquiète   worried

Son mari lui dit un soir:

— Qu'as-tu? Tu es toute drôle depuis trois jours.

Et elle répondit:

— Cela m'ennuie de n'avoir pas un bijou, rien à mettre sur moi. Je ne veux plus aller à cette soirée.

m'ennuie   bothers me

— Tu mettras des fleurs naturelles. Pour dix francs tu auras deux ou trois roses magnifiques.

— Non. Je ne veux pas avoir l'air pauvre au milieu de tant de femmes riches.

Mais son mari s'écria:

s'écria   cried out

— Que tu es bête. Va trouver ton amie, Mme Forestier, et demande-lui de te prêter des bijoux.

Elle poussa un cri de joie.

poussa un cri   uttered a cry

— C'est vrai. Je n'y avais pas pensé.

Le lendemain elle alla chez son amie qui lui prêta une superbe rivière de diamants.

la rivière de diamants
   diamond necklace

Le jour du bal arriva. Mme Loisel eut du succès. Elle était plus jolie que toutes les autres dames, élégante, gracieuse et folle de joie. Tous les hommes la regardaient, demandaient son nom, essayaient de lui être présentés. Ils voulaient tous valser avec elle, et le Ministre la remarqua.

valser   waltz

Elle dansait avec ivresse, dans le triomphe de sa beauté, dans une sorte de nuage de bonheur.

avec ivresse (f)   ecstatically
le nuage   cloud

Elle partit vers quatre heures du matin. Son mari, depuis minuit, dormait dans un petit salon désert avec trois autres messieurs dont les femmes s'amusaient beaucoup.

Il lui jeta sur les épaules le modeste manteau de la vie ordinaire. Elle sentit la pauvreté de son vieux manteau, et voulut s'enfuir pour ne pas être remarquée par les autres femmes, qui s'enveloppaient de riches fourrures.

s'enfuir   run away
s'enveloppaient   wrapped
   themselves
la fourrure   fur
retenait   held back
le fiacre   horse-drawn cab

Loisel la retenait.

— Attends donc! Tu vas attraper froid. Je vais appeler un fiacre.

Mais elle ne l'écoutait point et sortit dans la rue, où ils ne trouvèrent pas de voiture. Enfin, grelottants, ils trouvèrent un vieux fiacre qui les ramena jusqu'à leur porte, et ils remontèrent tristement chez eux. C'était fini, pour elle.

grelottant   shivering
ramena   brought back

Elle ôta son manteau et alla se regarder dans sa gloire une dernière fois. Elle s'arrêta devant le miroir, puis poussa un cri.

ôta   took off
la gloire   glory

Elle n'avait plus la rivière de diamants autour du cou!

Son mari, à moitié déshabillé déjà, demanda:

à moitié déshabillé
   half undressed

— Qu'est-ce que tu as?

Elle se tourna vers lui, affolée:

— J'ai … J'ai … Je n'ai plus la rivière de diamants de Mme Forestier!

— Quoi! … Comment! … Ce n'est pas possible?

Ils cherchèrent partout. Ils ne la trouvèrent point. Son mari refit la distance jusqu'au Ministère, chercha parmi tous les fiacres, à la préfecture de police … Il rentra vers sept heures du matin. Il n'avait rien trouvé.

Après une semaine ils avaient perdu toute espérance, et Loisel déclara:

— Il faut remplacer ce bijou.

Ils trouvèrent enfin chez un joaillier une parure complètement semblable à celle qu'ils cherchaient.

Elle coûtait quarante mille francs! Une fortune!

Loisel emprunta à tout le monde, compromit de cette manière le reste de son existence, et alla chercher la rivière nouvelle que Mathilde rapporta à Mme Forestier.

Mme Loisel connut la vie horrible des pauvres. Il fallait payer cette dette terrible. On renvoya la bonne, changea de logement et on loua une petite chambre misérable.

Elle travailla pour les autres, et, mal habillée, elle faisait ses achats comme une vraie femme de ménage, défendant sou à sou son misérable argent.

Il fallait chaque mois payer des dettes. Le mari travaillait donc chaque soir et souvent toute la nuit.

Et cette vie détestable dura dix ans!

Enfin après dix ans, ils avaient tout payé.

Mais Mathilde Loisel semblait vieille maintenant. Elle avait perdu toute sa beauté, et quelquefois elle pensait à cette soirée, à ce bal où elle avait été si belle …

Un dimanche, comme elle faisait une promenade aux Champs-Elysées, elle vit Mme Forestier, toujours jeune, toujours belle. Mathilde s'approcha.

— Bonjour, Jeanne.

L'autre ne la reconnut pas.

— Je suis Mathilde Loisel.

Son amie poussa un petit cri:

— Oh! … ma pauvre Mathilde … comme tu es changée!

Mme Loisel sourit et lui raconta ce qui s'était passé.

Son amie s'écria enfin:

— Tu dis que tu as acheté une rivière de diamants pour remplacer la mienne?

— Oui. Tu n'as rien remarqué, hein? Elles étaient bien semblables.

Mme Forestier, très émue, lui prit les deux mains:

— Oh, ma pauvre Mathilde! Mais la mienne était fausse! Elle valait au plus cinq cents francs! …

Glossary

affolé   panicky

refit   went back
la préfecture   Headquarters

l'espérance (f)   hope

il faut   we must
le joaillier   jeweller

compromit   compromised

renvoya   dismissed
la bonne   maid
loua   rented

la femme de ménage   cleaning woman
le sou   cent

dura   lasted

la mienne   mine

ému   moved

fausse   false
valait   was worth

Pour toi mon amour

Jacques Prévert

Je suis allé au marché aux oiseaux
    Et j'ai acheté des oiseaux
        Pour toi
       mon amour
Je suis allé au marché aux fleurs
    Et j'ai acheté des fleurs
        Pour toi
       mon amour
Je suis allé au marché à la ferraille   la ferraille   scrap iron
    Et j'ai acheté des chaînes
      De lourdes chaînes
        Pour toi
       mon amour
Et puis je suis allé au marché aux esclaves   l'esclave (m)   slave
    Et je t'ai cherchée
  Mais je ne t'ai pas trouvée
       mon amour

Rencontres de jeunesse

Une Abominable Feuille d'érable sur la glace

Roch Carrier

Les hivers de mon enfance étaient des saisons longues, longues. Nous vivions en trois lieux: l'école, l'église et la patinoire; mais la vraie vie était sur la patinoire. Les vrais combats se gagnaient sur la patinoire. La vraie force apparaissait sur la patinoire. Les vrais chefs se manifestaient sur la patinoire. L'école était une sorte de punition. Les parents veulent toujours punir les enfants et l'école était leur manière la plus naturelle de nous punir. L'école était aussi un endroit tranquille où l'on pouvait préparer les prochaines parties de hockey, dessiner les prochaines stratégies. Quant à l'église, nous trouvions là le repos de Dieu: on y oubliait l'école et l'on rêvait à la prochaine partie de hockey. A travers nos rêveries, il nous arrivait de réciter une prière: c'était pour demander à Dieu de nous aider à jouer aussi bien que Maurice Richard.

Tous, nous portions le même costume que lui, ce costume rouge, blanc, bleu des Canadiens de Montréal, la meilleure équipe de hockey au monde; tous, nous peignions nos cheveux à la manière de Maurice Richard et, pour les tenir en place, nous utilisions une sorte de colle, beaucoup de colle. Nous lacions nos patins à la manière de Maurice Richard, nous mettions le ruban gommé sur nos bâtons à la manière de Maurice Richard. Nous découpions dans les journaux toutes ses photographies. Vraiment nous savions tout sur lui.

Sur la glace, au coup de sifflet de l'arbitre, les deux équipes s'élançaient sur le disque de caoutchouc; nous étions cinq Maurice Richard contre cinq autres Maurice Richard à qui nous arrachions le disque; nous étions dix joueurs qui portions, avec le même enthousiasme, l'uniforme des Canadiens de Montréal. Tous nous portions au dos le très célèbre numéro 9.

Un jour, mon chandail des Canadiens de Montréal était devenu trop étroit; puis il était déchiré ici et là. Ma mère me dit:

— Avec ce vieux chandail, tu vas nous faire passer pour pauvres!

Elle fit ce qu'elle faisait chaque fois que nous avions besoin de vêtements. Elle commença de feuilleter le

l'enfance (f)   childhood

la patinoire   rink

apparaissait   became visible

la punition   punishment

la partie   game
quant à   as for
le repos   peace
à travers   through
la prière   prayer

peignions   combed
utilisions   used
la colle   glue
le ruban gommé   tape

s'élançaient   rushed
le disque de caoutchouc
   rubber puck
arrachions   took away from

étroit   tight
déchiré   torn

nous faire passer pour
   to make us look like

feuilleter   leaf through

catalogue que la compagnie Eaton nous envoyait chaque
année. Ma mère était fière. Elle n'a jamais voulu nous
habiller au magasin général; seule pouvait nous convenir
la dernière mode du catalogue Eaton. Ma mère n'aimait
pas les formules de commande dans le catalogue; elles
étaient en anglais et elle ne les comprenait pas. Pour
commander mon chandail de hockey, elle fit ce qu'elle
faisait d'habitude; elle prit son papier à lettres et elle
écrivit de sa douce calligraphie d'institutrice: "Cher
Monsieur Eaton, auriez-vous l'amabilité de m'envoyer
un chandail de hockey des Canadiens pour mon garçon
qui a dix ans et qui est un peu trop grand pour son âge,
et que le docteur Robitaille trouve un peu trop maigre?
Je vous envoie trois piastres et retournez-moi le reste
s'il en reste. J'espère que votre emballage va être mieux
fait que la dernière fois."

Monsieur Eaton répondit rapidement à la lettre de
ma mère. Deux semaines plus tard, nous recevions le
chandail. Ce jour-là, j'eus l'une des plus grandes
déceptions de ma vie! Je peux dire que j'ai, ce jour-là,
connu une très grande tristesse. Au lieu du chandail
bleu, blanc, rouge des Canadiens de Montréal, M. Eaton
nous avait envoyé un chandail bleu et blanc, avec la
feuille d'érable au devant, le chandail des Maple Leafs de
Toronto. J'avais toujours porté le chandail bleu, blanc,
rouge des Canadiens de Montréal; tous mes amis
portaient le chandail bleu, blanc, rouge; jamais, dans mon
village, quelqu'un n'avait porté le chandail de Toronto,
jamais on n'y avait vu un chandail des Maple Leafs de
Toronto. Aussi, l'équipe de Toronto se faisait terrasser
régulièrement par les triomphants Canadiens. Les larmes
aux yeux, je trouvai assez de force pour dire:

— J' porterai jamais cet uniforme-là.

— Mon garçon, tu vas l'essayer! Si tu te fais une idée
sur les choses avant de les essayer, mon garçon, tu n'iras
pas loin dans la vie …

Ma mère m'avait enfoncé sur les épaules le chandail
bleu et blanc des Maple Leafs de Toronto et, déjà,
j'avais les bras enfilés dans les manches. Elle tira le
chandail sur moi et essayait d'aplatir tous les plis de
cette abominable feuille d'érable sur laquelle, en pleine
poitrine, étaient écrits les mots Toronto Maple Leafs. Je
pleurais.

— J' pourrai jamais porter ça.

— Pourquoi? Ce chandail-là te va bien.

— Maurice Richard se mettrait jamais ça sur le dos …

— T'es pas Maurice Richard. Puis, c'est pas ce qu'on
se met sur le dos qui compte, c'est ce qu'on se met dans
la tête …

convenir   to do for

la formule de commande
  order form

douce   pleasant
la calligraphie   handwriting
l'amabilité (f)   kindness

la piastre (C)   le dollar

s'il en reste
  if there is any left
l'emballage (m)   wrapping

la feuille d'érable   maple leaf
au devant   on the front

se faisait terrasser
  was overpowered
la larme   tear

te fais une idée
  make up your mind

enfoncé   pushed down

enfilé   gone into
la manche   sleeve
aplatir   smooth out
le pli   crease
en pleine poitrine
  across the whole chest

se mettrait   porterait

compte   est important

—Vous me mettrez pas dans la tête de porter le chandail des Maple Leafs de Toronto.

Ma mère eut un gros soupir et elle m'expliqua:

—Si tu gardes pas ce chandail qui te fait bien, je devrai écrire à M. Eaton pour lui expliquer que tu veux pas porter le chandail de Toronto. M. Eaton, c'est un Anglais; il va être insulté parce que lui, il aime les Maple Leafs de Toronto. S'il est insulté, penses-tu qu'il va nous répondre très vite? Le printemps va arriver et tu auras pas joué une seule partie parce que tu auras pas voulu porter le beau chandail bleu que tu as sur le dos.

Je fus donc obligé de porter le chandail des Maple Leafs. Quand j'arrivai à la patinoire avec ce chandail, tous les Maurice Richard en bleu, blanc, rouge s'approchèrent un à un pour regarder ça. Au coup de sifflet de l'arbitre, je partis prendre mon poste habituel. Le chef d'équipe vint m'informer que je serais plutôt membre de la deuxième ligne d'attaque. Quelques minutes plus tard, la deuxième ligne fut appelée; je sautai sur la glace. Le chandail des Maple Leafs pesait sur mes épaules comme une montagne. Le chef d'équipe vint me dire d'attendre; il aurait besoin de moi à la défense, plus tard. A la troisième période, je n'avais pas encore joué; un des joueurs de défense reçut un coup de bâton sur le nez, il saignait; je sautai sur la glace: mon heure était venue! L'arbitre siffla; il me donna une punition. Il disait que j'avais sauté sur la glace quand il y avait encore cinq joueurs. C'en était trop! C'était trop injuste!

C'est de la persécution! C'est à cause de mon chandail bleu! Je frappai mon bâton sur la glace si fort qu'il se cassa. Soulagé, je ramassai les morceaux. Me relevant, je vis le jeune vicaire, en patins, devant moi:

—Mon enfant, ce n'est pas parce que tu as un petit chandail neuf des Maple Leafs de Toronto, au contraire des autres, que tu vas nous faire la loi. Un bon jeune homme ne se met pas en colère. Enlève tes patins et va à l'église demander pardon à Dieu.

Avec mon chandail des Maple Leafs de Toronto, j'allai à l'église, je priai Dieu; je lui demandai qu'il envoie aussitôt que possible des mites qui viendraient manger mon chandail des Maple Leafs de Toronto.

---

le soupir   sigh

te fait bien   fits you

plutôt   instead

pesait   weighed

reçut un coup   got hit
saignait   was bleeding
siffla   blew his whistle

soulagé   calmed
ramassai   picked up
me relevant   straightening up

nous faire la loi
  to boss us around
se met en colère
  have a tantrum
enlève   take off

priai   prayed
la mite   moth

T'es pas dans l'coup, maman

(Chanson dialoguée)

Clémence Desrochers

La Mère: Pour l'amour du saint ciel, ma fille
Explique-moi un peu tes goûts
T'as vraiment l'air d'une anguille
Avec tes robes en haut des genoux.
Tes cheveux cachent ton visage
Tu te pends des trucs dans le cou
En céramique ou en bois d'plage
Fais-tu exprès pour rire de nous?

La Fille: C'est la mode à gogo
Qu'on se met sur le dos
C'est notre mode à nous
Maman, t'es pas dans l'coup!

La Mère: Pour l'amour du saint ciel, ma fille
Où vas-tu passer tes journées?
T'ennuies-tu tant dans ta famille?
Tu viens nous voir pour te changer
Tu pars sans vider ton assiette
Tu r'viens, on dort depuis longtemps
Fais-tu exprès pour qu'on s'inquiète
Veux-tu faire mourir tes parents?

La Fille: C'est la mode à gogo
Qu'on se met sur le dos
C'est notre mode à nous
Maman, t'es pas dans l'coup!

La Mère: Pour l'amour du saint ciel, ma fille
Pense un peu à ton avenir
Dans mon temps, c'était en famille
Qu'on aimait à se divertir
On chantait des airs de folklore
On dansait avec les cousins
Et j'voudrais bien revivre encore
Ma jeunesse dans vos refrains.

La Fille: Quand on s'ra plus dans l'vent
Qu'on aura des enfants
Ils diront comme nous
Maman, t'es pas dans l'coup!

dans l'coup   "with it"
l'amour (m) du saint ciel
    heaven's sake
le goût   taste
l'anguille (f)   eel

pends   hang
le truc   gadget
le bois de plage   driftwood
exprès   on purpose

t'ennuies-tu   are you bored

s'inquiète   worry
faire mourir   kill

l'avenir (m)   future

se divertir   s'amuser

plus dans l'vent
    no longer "with it"

Louisette

René Goscinny

Je n'étais pas content quand maman m'a dit qu'une de
ses amies viendrait prendre le thé avec sa petite fille.
Moi, je n'aime pas les filles. C'est bête, ça ne sait pas
jouer à autre chose qu'à la poupée et à la marchande et
ça pleure tout le temps. Bien sûr, moi aussi je pleure
quelquefois, mais c'est pour des choses graves, comme
la fois où le vase du salon s'est cassé et papa m'a grondé   grondé scolded
et ce n'était pas juste parce que je ne l'avais pas fait
exprès et puis ce vase il était très laid et je sais bien que
papa n'aime pas que je joue à la balle dans la maison,
mais dehors il pleuvait.

   — Tu seras bien gentil avec Louisette, m'a dit
maman, c'est une charmante petite fille et je veux que
tu lui montres que tu es bien élevé.   élevé brought up

   Quand maman veut montrer que je suis bien élevé,
elle m'habille avec le costume bleu et la chemise blanche
et j'ai l'air d'un guignol. Moi j'ai dit à maman que   le guignol silly dummy
j'aimerais mieux aller avec les copains au cinéma voir un
film de cow-boys, mais maman elle m'a fait des yeux   fait des yeux gave a look
comme quand elle n'a pas envie de rigoler.   rigoler joke

   — Et je te prie de ne pas être brutal avec cette petite
fille, sinon, tu auras affaire à moi, a dit maman,   sinon otherwise
compris?   auras affaire
     will have to deal with

   A quatre heures, l'amie de maman est venue avec sa
petite fille. L'amie de maman m'a embrassé, elle m'a dit,
comme tout le monde, que j'étais un grand garçon, elle
m'a dit aussi:

   — Voilà Louisette.

   Louisette et moi, on s'est regardés. Elle avait des
cheveux jaunes, avec des nattes, des yeux bleus, un nez   la natte pigtail
et une robe rouges. On s'est donné les doigts, très vite.   donné les doigts touched fingers
Maman a servi le thé, et ça, c'était très bien, parce que,
quand il y a du monde pour le thé, il y a des gâteaux au   du monde des invités
chocolat et on peut en reprendre deux fois. Pendant le   reprendre have some more
goûter, Louisette et moi on n'a rien dit. On a mangé et   le goûter snack
on ne s'est pas regardés. Quand on a eu fini, maman a
dit:

   — Maintenant, les enfants, allez vous amuser.

Nicolas, emmène Louisette dans ta chambre et montre-
lui tes beaux jouets.

    Maman elle a dit ça avec un grand sourire, mais en
même temps elle m'a fait des yeux, ceux avec lesquels il
vaut mieux ne pas rigoler. Louisette et moi on est allés
dans ma chambre, et là, je ne savais pas quoi lui dire.
C'est Louisette qui a dit, elle a dit:

    — Tu as l'air d'un singe.

    Ça ne m'a pas plu, ça, alors je lui ai répondu:

    — Et toi, tu n'es qu'une fille! et elle m'a donné une
gifle.

emmène   take

il vaut mieux   it's better

le singe   monkey

la gifle   slap

    J'avais bien envie de me mettre à pleurer, mais je me
suis retenu, parce que maman voulait que je sois bien
élevé, alors, j'ai tiré une des nattes de Louisette et elle
m'a donné un coup de pied à la cheville. Là, il a fallu

retenu   restrained

le coup de pied   kick
la cheville   ankle
il a fallu   I had to

quand même que je fasse "ouille, ouille" parce que ça
faisait mal. J'allais lui donner une gifle, quand Louisette
a changé de conversation, elle m'a dit:

fasse   say
ouille   ouch!

— Alors, ces jouets, tu me les montres?

J'allais lui dire que c'était des jouets de garçon, quand elle a vu mon ours en peluche, celui que j'avais rasé à moitié une fois avec le rasoir de papa. Je l'avais rasé à moitié seulement, parce que le rasoir de papa n'avait pas tenu le coup.

l'ours (m) en peluche   teddy bear

tenu le coup   been able to take it

— Tu joues à la poupée? elle m'a demandé Louisette, et puis elle s'est mise à rire.

J'allais lui tirer une natte, et Louisette levait la main pour me la mettre sur la figure, quand la porte s'est ouverte et nos deux mamans sont entrées.

— Alors, les enfants, a dit maman, vous vous amusez bien?

— Oh, oui madame! a dit Louisette avec des yeux tout ouverts et puis elle a fait bouger ses paupières très vite et maman l'a embrassée en disant:

fait bouger   fluttered
la paupière   eyelid

— Adorable, elle est adorable! C'est un vrai petit poussin! et Louisette travaillait dur avec les paupières. Montre tes beaux livres d'images à Louisette, m'a dit ma maman, et l'autre maman a dit que nous étions deux petits poussins et elles sont parties.

le poussin   dear little child

Moi, j'ai sorti mes livres du placard et je les ai donnés à Louisette, mais elle ne les a pas regardés et elle les a jetés par terre, même celui où il y a des tas d'Indiens et qui est terrible.

jeté par terre   threw down
terrible   terrific

— Ça ne m'intéresse pas tes livres, elle m'a dit, Louisette, t'as pas quelque chose de plus rigolo? et puis elle a regardé dans le placard et elle a vu mon avion, le chouette, celui qui a un élastique qui est rouge et qui vole.

rigolo   comique

chouette   beau

— Laisse ça, j'ai dit, c'est pas pour les filles, c'est mon avion! et j'ai essayé de le reprendre, mais Louisette s'est écartée.

écarté   stepped away

— Je suis l'invitée, elle a dit, j'ai le droit de jouer avec tous tes jouets, et si tu n'es pas d'accord, j'appelle ma maman et on verra qui a raison!

Moi, je ne savais pas quoi faire, je ne voulais pas qu'elle le casse, mon avion, mais je n'avais pas envie qu'elle appelle sa maman, parce que ça ferait des histoires. Pendant que j'étais là, à penser, Louisette a fait tourner l'hélice pour remonter l'élastique et puis elle a lâché l'avion. Elle l'a lâché par la fenêtre de ma chambre qui était ouverte, et l'avion est parti.

ferait des histoires
   would make trouble

fait tourner   turned
l'hélice (f)   propeller
remonter   wind up
lâché   let go

— Regarde ce que tu as fait, j'ai crié. Mon avion est
perdu! et je me suis mis à pleurer.

— Il n'est pas perdu, ton avion, bêta, m'a dit   bêta   stupide
Louisette, regarde, il est tombé dans le jardin, on n'a
qu'à aller le chercher.

Nous sommes descendus dans le salon et j'ai demandé
à maman si on pouvait sortir jouer dans le jardin et
maman a dit qu'il faisait trop froid, mais Louisette a fait   fait le coup   used
le coup des paupières et elle a dit qu'elle voulait voir les
jolies fleurs. Alors, ma maman a dit qu'elle était un
adorable poussin et elle a dit de bien nous couvrir pour
sortir. Il faudra que j'apprenne, pour les paupières, ça a   il faudra   I'll have to
l'air de marcher drôlement, ce truc!   drôlement   très bien
                                                               le truc   trick
Dans le jardin, j'ai ramassé l'avion, qui n'avait rien,   n'avait rien   wasn't damaged
heureusement, et Louisette m'a dit:

— Qu'est-ce qu'on fait?

— Je ne sais pas, moi, je lui ai dit, tu voulais voir les
fleurs, regarde-les, il y en a des tas par là.

Mais Louisette m'a dit qu'elle s'en moquait de mes   s'en moquait   couldn't care less
fleurs et qu'elles étaient minables. J'avais bien envie de   minables   médiocres
lui taper sur le nez, à Louisette, mais je n'ai pas osé,   taper   frapper
parce que la fenêtre du salon donne sur le jardin, et dans   osé   dare
le salon il y avait les mamans.

— Je n'ai pas de jouets, ici, sauf le ballon de football,   sauf   excepté
dans le garage.

Louisette m'a dit que ça, c'était une bonne idée. On
est allés chercher le ballon et moi j'étais très embêté,   embêté   annoyed
j'avais peur que les copains me voient jouer avec une
fille.

— Tu te mets entre les arbres, m'a dit Louisette, et tu
essaies d'arrêter le ballon.

Là, elle m'a fait rire, Louisette, et puis, elle a pris de l'élan et, boum! un shoot terrible! La balle, je n'ai pas pu l'arrêter, elle a cassé la vitre de la fenêtre du garage.

Les mamans sont sorties de la maison en courant. Ma maman a vu la fenêtre du garage et elle a compris tout de suite:

— Nicolas! elle m'a dit, au lieu de jouer à des jeux brutaux, tu ferais mieux de t'occuper de tes invités, surtout quand ils sont aussi gentils que Louisette!

pris de l'élan   dashed forward
le shoot   shot
la vitre   pane
sorties en courant
  ran out

ferais mieux   would be better off
t'occuper   take care of

Moi, j'ai regardé Louisette, elle était plus loin, dans le jardin, en train de sentir les bégonias.

Le soir, j'ai été privé de dessert, mais ça ne fait rien, elle est chouette, Louisette, et quand on sera grands, on se mariera.

Elle a un shoot terrible!

sentir   smell
privé   deprived

La Fugue

Paule Daveluy

Il est là, omniprésent, omnipuissant, le *beat*. Il enveloppe de partout comme une seconde peau, un Christian ébloui par les lumières qui clignotent à son rythme envoûtant. Le plancher de danse est piqué de danseurs qui se déhanchent à ce même rythme sans se toucher, sans se regarder. Chacun fait sa petite affaire, l'air ensorcelé, les traits vides d'expression.

Ils ont bien joué le jeu. Marc avait raison: personne, à la discothèque, ne s'est douté qu'il est loin d'avoir atteint ses dix-huit ans, l'âge réglementaire pour pénétrer dans le sanctuaire.

Depuis le temps qu'il en rêve: l'y voilà. Il se sent mal à l'aise dans les vêtements empruntés secrètement au frère de Marc: pantalon de velours et chemise de soie, lui qui ne respire bien que dans ses jeans au bleu délavé et son blouson usé à la corde.

Ses cheveux aussi sont différents. Diane, la soeur de Marc, sa compagne pour la soirée, a discipliné, avant le départ, sa tignasse à la superstar. Elle en a même coupé un ou deux centimètres sans qu'il proteste trop.

— L'illusion sera plus complète, a-t-elle assuré. Maintenant, tu ressembles davantage à Bjorn Borg qu'à un élève de la polyvalente qui s'envoie en l'air.

Elle a minutieusement soigné sa propre toilette: chemisier à paillettes, jupe fendue jusqu'aux hanches. A peine si Christian ose regarder, secrètement, les bas noirs qui vont des sandales or jusqu'à ... l'enfer.

L'amie de Marc, Colette, porte un tailleur strict, un feutre rond enfoncé jusqu'aux yeux et des bottes violettes. Il faut le voir pour le croire.

Christian se pince. C'est bien lui qui est là, dans sa mecque. Il ne le sait pas, mais il a l'air d'un agneau dans la fosse aux lions.

C'est un agneau en colère, qui en a ras le bol de sa famille, de son école, de tout. Il serait bien embêté de dire exactement pourquoi, mais il sait qu'il en a marre, marre, marre. S'il avait seulement deux sous à lui, il quitterait la maison. Comme il le disait à Marc:

— Un gars ne peut pas être lui-même dans un univers mené par ses parents. Il faut faire à leur façon, tenir sa chambre propre — je te demande un peu. Personne ne vient jamais chez nous, car mon père n'aime pas mes amis. Aujourd'hui c'est le comble, ils m'ont dit qu'à

la fugue	escapade
enveloppe	encompasses
ébloui	dazzled
clignotent	blink
envoûtant	spellbinding
piqué	dotted
se déhanchent	move their hips
sa petite affaire	his own thing
l'air ensorcelé	under a spell
le trait	feature
s'est douté	suspected
atteint	attained
réglementaire	prescribed
se sent	feels
mal à l'aise	uneasy
le velours	velvet
la soie	silk
respire	breathes
délavé	washed out
le blouson	windbreaker
usé	worn
la tignasse	mop of hair
la polyvalente	composite school
s'envoie en l'air	is acting crazy
minutieusement soigné	paid scrupulous attention to
le chemisier	la blouse
la paillette	sequin
fendu	split
la hanche	hip
le tailleur	suit
le feutre	felt hat
enfoncé	pulled down
se pince	pinches himself
la mecque	mecca
la fosse	den
en a ras le bol	is fed up
en a marre	has had enough
mené	organisé
c'est le comble	it's the last straw

l'avenir, pour écouter ma musique rock, il faudra que je porte mon casque d'écoute après dix heures du soir. Et sais-tu ce qu'ils ont ajouté? Que si je refuse de collaborer, l'argent de poche, pfuit! … fini. Je devrai m'en gagner. L'Ayatollah peut toujours aller se rhabiller.

le casque d'écoute   earphones

peut toujours aller se rhabiller
   can always beat it

S'il s'écoutait, il quitterait aussi l'école.

— Je me demande ce que je fais là; il n'y a pas un prof que j'aime, pas un qui m'apprenne quoi que ce soit! J'ai perdu l'intérêt d'étudier, de passer des examens pour décrocher un diplôme qui ne servira peut-être à rien.

quoi que ce soit   anything at all
passer   write
décrocher   earn

En regardant autour de lui, à travers le voile de fumée qui crée une ambiance fantomatique dans la lumière du rayon laser, Christian se dit que c'est ça la vraie vie. Et comme il n'est pas trop maladroit, il fait tournoyer Diane sans buter contre les autres danseurs. Ce qu'il décidera demain? Pfeu! On verra bien. Demain, c'est demain. Et Diane a une voiture. Pas une seconde, il ne s'arrête à penser que sa famille puisse s'inquiéter de son absence. Il a aussi, comble d'indignité, un couvre-feu pour rentrer: minuit. Or, il est plus de deux heures.

le voile   veil
l'ambiance (f)   l'atmosphère (f)
fantomatique   ghostlike
le rayon   beam
maladroit   clumsy
fait tournoyer   twirls
buter contre   bumping into

s'inquiéter   worry
le comble   height
le couvre-feu   curfew

Une commotion soudaine interrompt la bonne marche de la soirée. La brigade des moeurs, en quête de drogue et d'adolescents en goguette, fait une descente à la discothèque.

la bonne marche   smooth flow
la brigade des moeurs   vice squad
en quête de   on the hunt for
en goguette   tipsy

Le beau bonheur bien frotté de Christian s'effondre. Les policiers les amènent, Marc et lui, dans le panier à salade, jusqu'au poste du quartier. Diane et Colette ont leur permis de conduire, elles.

frotté   shining
s'effondre   crumbles
le panier à salade   paddy wagon

— Je te gage que c'est mon frère qui nous a vendus, grogne Marc, pendant qu'ils attendent que leurs parents les récupèrent.

gage   bet
grogne   grunts
récupèrent   pick up

Le retour s'effectue en silence; seul le père est venu cueillir Christian qui boude dans son coin. Monsieur Raymond a son visage fermé des mauvais jours. A la maison, c'est une autre histoire. La mère debout, mince et frêle dans son déshabillé de velours rose, les entraîne à la salle de jeu du sous-sol. Là, elle ferme la porte pour que les autres enfants qui dorment ne soient au courant de rien.

s'effectue   is carried out
cueillir   chercher
boude   pouts

le déshabillé   dressing gown
entraîne   pulls

ne soient au courant de rien
   don't have any idea of what's
   going on

— Maintenant, Christian, nous allons nous parler, dit-elle. Ton père et moi, nous te dirons nos griefs; toi, tu nous diras les tiens. Nous savons que tu es désemparé et nous voulons t'aider, mais nous ne savons pas comment nous y prendre. Pourquoi es-tu toujours à contre-courant, pourquoi t'élèves-tu contre chacune de nos idées, pourquoi … pourquoi?

désemparé   mixed up

nous y prendre   to go about it
à contre-courant
   anti-establishment
t'élèves-tu   do you rebel

Le réquisitoire se mue en interrogatoire. Il répond,

le réquisitoire   speech
se mue   change

déversant, en des phrases rageuses qui se bousculent, son amertume, ses frustrations, ses rancoeurs, et il termine grandiloquent, en se dirigeant vers l'escalier.

— On sait bien, moi, vous ne m'avez pas désiré. Je n'ai pas été aimé.

Une furie se jette contre le garçon étonné et lui tombe dessus à bras raccourcis: sa petite mère, qu'il domine de toute la tête, le frappe de ses poings fermés avec toute la violence dont elle est capable, en protestant indignée:

— Pas désiré? Pas aimé? Notre premier garçon après deux filles? Toi mon Cricri que j'ai vu naître avec une joie d'autant plus parfaite que c'était mon premier accouchement conscient. Pas désiré! Pas aimé! Un enfant que j'ai nourri de mon lait, bercé, chouchouté … C'est trop injuste!

Sa colère épuisée, elle les quitte en s'essuyant les yeux. Son mari la regarde aller, stupéfait, confondu. Quant à Christian, qui s'est laissé battre sans se défendre, un grand sourire imbécile illumine son visage.

Etait-ce bien sa mère, cet ouragan? Il en est tout retourné. Ouais! Il attendra une autre fois pour quitter la maison et l'école.

Il fera comme les Alcooliques Anonymes: il prendra les jours un à la fois. Cette nuit, ses parents et lui ont peut-être jeté un pont entre eux et abattu le mur qui les séparait. Ça vaut la peine d'attendre un peu pour voir ce que ça donnera. Car après tout, où trouver quelqu'un qui l'aime autant!

---

déversant   giving vent to
se bousculent   pour out
l'amertume (f)   bitterness
la rancoeur   resentment
grandiloquent   pompous
en se dirigeant   while heading for

à bras raccourcis
   with all her might
de toute la tête   by a full head

Cricri   Cricket

d'autant plus   all the more
l'accouchement (m) conscient
   delivery while I was conscious
nourri   fed
bercé   rocked
chouchouté   coddled
épuisé   exhausted
en s'essuyant   wiping

l'ouragan (m)   hurricane

retourné   upset
ouais   oui

abattu   knocked down
ça vaut la peine   it's worthwhile

Rencontres
naturistes

O Terre

Chef Dan George

O terre,
pour la force
de mon coeur,
je te remercie.

remercie   dis merci

O nuage,
pour le sang
de mon corps,
je te remercie.

le sang   blood

O feu,
pour la lumière
de mes yeux,
je te remercie.

O soleil,
pour la vie
que tu m'as donnée,
je te remercie.

Si tu parles aux animaux

Chef Dan George

Si tu parles aux animaux,
ils te parleront à leur tour,
et vous ferez connaissance.
Si tu ne leur parles pas,
tu ne les connaîtras pas
et tu auras peur de ce que tu ignores.

Ce que tu redoutes, tu le détruis.

ferez connaissance
   will get to know one another

ignores   do not know

redoutes   dread
détruis   destroy

Il y avait un jardin

Georges Moustaki

C'est une chanson pour les enfants
Qui naissent et qui vivent entre l'acier
Et le bitume, entre le béton et l'asphalte
Et qui ne sauront peut-être jamais
Que la terre était un jardin.

naissent   are born
l'acier (m)   steel
le bitume   pavement
le béton   concrete

Il y avait un jardin qu'on appelait la terre.
Il brillait au soleil comme un fruit défendu.
Non, ce n'était pas le paradis ni l'enfer
Ni rien de déjà vu ou déjà entendu.

brillait   shone

Il y avait un jardin, une maison, des arbres
Avec un lit de mousse pour y faire l'amour
Et un petit ruisseau roulant sans une vague
Venait le rafraîchir et poursuivait son cours.

la mousse   moss

le ruisseau   brook
roulant   running
la vague   wave
rafraîchir   to refresh
poursuivait   continuait
se nourrir   manger

Il y avait un jardin grand comme une vallée.
On pouvait s'y nourrir à toutes les saisons
Sur la terre brûlante ou sur l'herbe gelée
Et découvrir des fleurs qui n'avaient pas de nom.

Il y avait un jardin qu'on appelait la terre.
Il était assez grand pour des milliers d'enfants.
Il était habité jadis par nos grands-pères
Qui le tenaient eux-mêmes de leurs grands-parents.

jadis   formerly
tenaient   inherited

Où est-il ce jardin où nous aurions pu naître,
Où nous aurions pu vivre, insouciants et nus?
Où est cette maison, toutes portes ouvertes,
Que je cherche encore et que je ne trouve plus?

insouciant   carefree
nu   naked

Rencontres folkloriques

Rose Latulippe

Pierre Clairière

Je vous ai raconté comment le Diable revient toujours
dans nos villes et nos villages, pour y trouver des âmes à
prendre. Bien sûr, le Diable offre ses cadeaux. Mais ce
sont de belles tromperies. Quand on est lié au Diable,
c'est pour longtemps!

le Diable   devil
l'âme (f)   soul

la tromperie   deception
lié   bound

Le Diable s'en est allé en Gaspésie. A Matane, il ne
trouve rien. A Sainte-Anne-des-Monts, rien. A Mont-
Louis, rien. A la Petite Madeleine, toujours rien. Le
Diable commençait à s'impatienter:

la Gaspésie   Gaspé

"Ces pêcheurs et ces bûcherons ne m'écoutent pas.
Ils disent qu'ils sont bien comme ils sont."

le bûcheron   lumberjack

Là-dessus, le Diable s'en vient à Cloridorme: c'était la
veille du mardi gras. Il s'y promène un peu et il regarde
les gens. Il décide alors d'y rester: vous allez savoir
pourquoi.

là-dessus   thereupon
la veille   day before

Arrive le mardi soir. Les gens de Cloridorme faisaient
la fête, ce soir-là. Les familles s'étaient invitées les unes
les autres. On mangeait beaucoup, on buvait aussi, on
chantait et on dansait.

faisaient la fête   were partying

Dans tout le village, une seule personne n'avait pas
voulu participer à toute cette fête: le curé. Il était resté
chez lui. Mais il était triste, inquiet, sans savoir
pourquoi.

le curé   priest
inquiet   worried

Moi, je pense qu'il sentait le Diable, qu'il devinait que
quelque chose de grave se préparait. Alors, chez lui,
tout seul, il disait ses prières.

Chez les Latulippe, il y avait peut-être cinquante
invités. C'est que la maison avait bonne réputation. La
famille était riche; le patron, toujours de bonne humeur;
la femme, toujours prête à rendre service. Et leur fille, la
Rose, jolie comme la fleur de son nom.

le patron   master of the house

Et puis, ce soir-là, on célébrait aussi le prochain
mariage de Rose. Elle allait se marier avec son Gabriel,
Gabriel Lepard, un gentil garçon de Saint-Yvon,
travailleur, bien sérieux.

prochain   forthcoming

La Rose, je dois le dire, avait un défaut. Elle était
trop coquette. Elle aimait trop qu'on la regarde. Elle en
avait des robes, des bagues, des bracelets et des colliers!
A chaque voyage à Rimouski, son père lui rapportait un
nouveau bijou, sa mère, une nouvelle robe. Tout ça la
rendait trop fière. Les parents ne le remarquaient pas.
Ils étaient fous d'elle.

travailleur   hard working
le défaut   fault
coquette   flirtatious
la bague   ring
le collier   necklace

rendait   made

Vous avez deviné, sans doute, que le Diable avait lui aussi remarqué la fille. Il avait tout de suite pensé: "Quelques compliments, et elle ne pourra pas se défendre..."

Vers les onze heures du soir, chez les Latulippe, on était encore en plein bal. La Rose était la reine de la soirée. Tous les garçons avaient voulu danser avec elle. On arrivait aux dernières danses, d'avant minuit.

Tout à coup, une voiture s'arrête devant la porte. Un homme descend, frappe à la porte. On lui ouvre.

—Je passais par là, et j'ai entendu qu'on dansait ici. Ça me donne envie de m'amuser un peu avec vous: si vous le permettez.

me donne envie
makes me feel like

—C'est trop d'honneur à nous faire, répond Latulippe. Entrez.

Personne ne connaissait cet homme. Il n'était pas très jeune, mais élégant et beau, dans son costume noir. Et chose bizarre, il n'avait pas quitté ses gants, ni son chapeau, noirs comme le reste. Mais après quelques questions, les gens continuent leur danse: les musiciens recommencent à jouer.

quitté   taken off

L'inconnu s'en va vers Rose. Il lui prend les deux mains, qu'elle ne refuse pas.

l'inconnu (m)   stranger

—J'espère, ma belle demoiselle, que vous voudrez bien danser avec moi.

—Certainement, dit Rose. A peine a-t-elle jeté un coup d'oeil sur le pauvre Lepard.

à peine   hardly
jeté un coup d'oeil   glanced

Tout le reste de la soirée, l'inconnu reste avec Rose, sans cesser de lui parler et de la faire rire. Les autres invités en étaient surpris. Ils regardaient Gabriel, qui ne savait quoi faire.

Depuis l'arrivée de l'inconnu, une vieille tante était toute fâchée en voyant ce qui se passait. A la fin d'une danse, elle fait signe à Rose de venir lui parler.

—Ecoute, ma fille ... C'est bien mal à toi d'abandonner le bon Gabriel. C'est ton fiancé. Tout ça pour un monsieur que tu ne connais pas ... Mais déjà Rose tourne les talons. Déjà elle revient près de son danseur.

tourne les talons
turns on her heels

—Merci, belle Rose, d'être revenue. Nous danserons toujours, n'est-ce pas?

Pour toute réponse, Rose lui fait un grand sourire.

Quand sonnent les douze coups de minuit, Latulippe, le père, annonce qu'il est temps d'arrêter le bal. Cette fois, l'inconnu entre en action.

sonnent   strike
les douze coups de minuit
minuit   midnight

—Encore une petite danse, et ce sera la fin.

Mais pendant cette danse, il se fait plus pressant.

—Rose, vous êtes restée avec moi toute cette fin de

soirée. Pourquoi ne seriez-vous pas à moi pour
toujours?

Rose a complètement oublié son Gabriel. Elle répond
à l'inconnu:

— Eh bien! oui, comme vous voudrez.

Mais tout juste à ce moment-là, il se passe dans la
salle des choses extraordinaires. Après avoir entendu la
promesse de Rose, l'inconnu lui prend la main. Mais elle
pousse un cri, comme si on lui avait fait mal, comme si
on lui avait percé la main. Elle devient pâle. L'inconnu
dit:

— Rose, je vous demande une chose encore: enlevez
votre collier. Il me déplaît trop. Je ne peux plus le voir.

C'était un collier où pendait une petite croix. Mais
Rose refuse. Et les gens, dans la salle, commencent à
deviner que l'inconnu n'est pas un homme ordinaire:

— Qui est-ce?

— L'avez-vous déjà rencontré?

— Regardez ces yeux qui lancent des éclairs …

— Oh! il me fait peur!

— Comme il regarde Rose!

Mais avant tout cela, quelqu'un avait deviné qu'on
aurait besoin de lui chez les Latulippe: sans trop savoir
pourquoi, le curé avait pris sa cape et sa lanterne, et il
était parti.

Il faisait grand froid. Le vieux curé allait vite. Il se
demandait:

"Que se passe-t-il donc là-bas, pour que j'aie senti
que je devais y aller? Quelqu'un serait-il en danger?"

Arrivé chez les Latulippe, le curé ôte sa cape et court
dans la grande salle. Ce qu'il voit le frappe de terreur.

pousse   emits
percé   stabbed

enlevez   take off
déplaît   offends
pendait   was hanging
la croix   cross

lancent des éclairs
  flash like lightning

Au milieu de la pièce, Rose est près de l'inconnu, comme paralysée. L'homme veut briser le collier de Rose pour ôter la croix qui la protège encore. Elle est encore plus pâle, tout près de s'évanouir. Son visage à lui est horriblement méchant.

    D'un bond, le vieux curé se met entre les deux.

    — Retire-toi, Satan! Hors d'ici!

    La pauvre Rose, cette fois, s'est évanouie entre les bras du curé. Lui, saisissant son étole, en frappe le Diable, qui se protège du coude, comme s'il recevait des coups de fouet. Un grand bruit se fait entendre. Une odeur de soufre monte du plancher. Le Diable a disparu. Les gens se regardent. On dirait que le tonnerre est tombé dans la salle.

    Voilà comment le Diable fut chassé, ce soir de mardi gras, par le curé de Cloridorme. Mais vous voulez peut-être savoir la fin de l'histoire? Eh bien, Rose a longtemps été malade. Puis elle a demandé à entrer au couvent, chez les nonnes de Rimouski, pour être protégée du démon, disait-elle. Gabriel Lepard ne s'est pas marié. Il attend toujours sa Rose.

    Et le Diable? Il a quitté la Gaspésie comme un fou, en sautant par-dessus le Saint-Laurent. Je ne sais pas ce qu'il a fait sur la Côte Nord. D'autres méchancetés, bien sûr. Il n'est bon qu'à ça.

briser   to break
ôter   take off
protège   protects
s'évanouir   fainting

d'un bond   with a leap

retire-toi   pars
hors d'ici!   begone!

l'étole (f)   stole

le coup de fouet
   lash of a whip
le soufre   sulphur

le tonnerre   thunder
fut chassé   was chased

le couvent   convent

la Côte Nord   North Shore
la méchanceté   bad deed

La Sainte-Catherine de Colette

Robert Choquette

Qu'est-ce qu'une légende? C'est l'histoire d'un événement si exceptionnel qu'il a sans doute eu lieu dans un monde imaginaire. Mais pour prendre plaisir à une histoire, il faut faire semblant d'y croire. Faisons donc semblant.

eu lieu   took place

faire semblant   pretend

Dans un petit village du Québec, vivait une certaine Colette mortifiée de coiffer chaque année sainte Catherine. (Cette expression s'appliquait aux demoiselles qui avaient passé leur vingt-cinquième année sans avoir trouvé à se marier.) Dans le cas de Colette, il y avait une raison: elle était crasseuse comme ses haillons et comme la masure qu'elle partageait avec son frère, qu'on disait sorcier.

s'appliquait   was applied

crasseuse   filthy
le haillon   rag
la masure   hovel
partageait   shared

Un matin, et justement celui du 25 novembre, qui est la Sainte-Catherine, le village vit une chose étrange. Ce sorcier frappait aux portes, l'une après l'autre et, aux gens qui répondaient, l'homme donnait un papier. Sans un mot.

Le message griffonné sur chacun de ces papiers était inattendu. C'était une invitation! Il y aurait veillée de danse et partie de tire chez Colette, le soir même! Tous étaient curieux, mais ceux et celles qui avaient souvent ri de Colette avaient peur d'un piège, d'une vengeance. Jusqu'au moment où la rumeur courut que la grande Thérèse était dans le secret. On la tourmenta de

griffonné   scribbled
inattendu   unexpected
la partie de tire
   party of taffy pulling
le piège   trap
courut   spread

questions. Elle résistait. Elle était la seule à
savoir — pour avoir toujours été la seule du village à
prendre Colette en pitié. Mais rien n'est plus lourd à
porter qu'un secret et Thérèse finit par céder.

finit par céder   finally gave in

Le secret? Colette s'était trouvé un cavalier et le
cavalier serait de la fête! Où, quand et comment Colette
l'avait-elle rencontré, Thérèse n'en savait rien. Ni quel
était son nom, ni s'il était blond ou brun, riche ou
pauvre. Tout ce que Colette avait dit à la grande
Thérèse, c'est que désormais elle ne coifferait plus
sainte Catherine. Le mystérieux cavalier avait donc
parlé mariage. Qui diable pouvait-il être? Quel homme
était prêt à épouser Colette et à prendre le sorcier
comme beau-frère?

le cavalier   boyfriend

désormais   henceforth

Jusqu'au soir, le village bourdonna de conjectures.
Les superstitieux consultaient le ciel. Il y eut une foule
d'hommes. Les femmes se parlaient de perron en
perron. Emus par ces chuchotements et ces va-et-vient,
les chiens aboyaient, surveillaient la route ...

bourdonna   buzzed

le perron   front steps
ému   unsettled
le chuchotement   whispering
le va-et-vient
   coming and going
aboyaient   barked
surveillaient   kept an eye on

Enfin, le soir arriva. Les plus curieux furent les
premiers à aller vers la sordide cabane où aurait lieu la
fête, si vraiment fête il y aurait.

O stupeur! Chez Colette qui avait à peine deux
bougies, une clarté sans pareille débordait des fenêtres!
Des silhouettes bougeaient derrière les fenêtres. Il y
avait déjà du monde. Beaucoup de monde. Des
étrangers, bien sûr. Pourtant non. En s'approchant on
reconnaissait Alphonsine, Théodule, Gédéon, la grande
Thérèse et encore d'autres — tous des gens du village et
déjà là avant ceux qui étaient partis les premiers.
Comment expliquer cela? Autre miracle, plus grand
encore: chez Colette et le sorcier, les soliveaux étaient
en or et les poutres, en argent! Les murs, tapissés de
velours! Et puis, comment expliquer que tout le village
occupait si peu d'espace? Car tout le monde était là. Et
Colette, blanche comme un lis, elle qu'on avait toujours
vue noire comme le poêle ... Cette robe, ces souliers de
satin, ce collier de perles et ces bracelets ne pouvaient
venir que du cavalier, qui ne pouvait être qu'un prince.
Il arriverait bientôt en carrosse d'or, comme dans les
contes de fées.

la bougie   candle
la clarté   brightness
débordait   poured out

le soliveau   girder
la poutre   beam
tapissé   hung
le velours   velvet

le lis   lily
le poêle   stove

le carrosse   carriage
le conte de fées   fairy tale

En attendant, chose étrange, il semblait impossible
d'approcher Colette. On aurait dit qu'un bras invisible
la protégeait.

protégeait   protected

Des cris de joie éclatèrent. Le sorcier était là, portant
un immense chaudron doré sentant la mélasse encore
tiède, mais déjà ferme. Tous les invités auraient la
chance d'étirer la tire en longues et blondes torsades.

éclatèrent   burst forth
le chaudron   cauldron
doré   golden
la mélasse   molasses
tiède   lukewarm
étirer la tire   pull the taffy
la torsade   twist

— Prends ton bout, Louise! Ton bout, Romuald! Tire plus fort, Gilberte!

Encore une autre chose extraordinaire: la tire devenait bleue, verte, orangée, violette …

On aurait dit que toutes ces mains tiraient des tranches d'arc-en-ciel. Puis voilà qu'une mystérieuse musique d'orchestre se faufila entre les exclamations et les éclats de rire. Cela venait d'en bas, comme du fond même de la terre.

— C'est pour qu'on danse! jeta le sorcier, qui prit la main de la jolie Madeleine et ouvrit le bal. On dansa le cotillon, le menuet français, le reel à deux et le reel à quatre et la gigue. Puis, jeunes et vieux, toute la compagnie commença à tourner, main dans la main, tourne, tourne, tourne autour de Colette, tourne, tourne, tourne, tourne. Colette surveillait l'horloge. On décida que le cavalier était sur le point de se montrer. Chose certaine, il serait là pour le réveillon.

— Quelle heure est-il? demanda le sorcier.

Tout à coup, la musique ne fut plus qu'un souffle. Les danseurs s'arrêtèrent. L'horloge sonna minuit.

— NON! cria Colette.

Soudain, un grand éclair rouge zigzagua d'un mur à l'autre. Plafond, poutres, soliveaux, les portes, les meubles, la robe de Colette, tout devint rouge. La fantastique musique recommença et la danse avec elle. Mais on tournait maintenant sans le vouloir.

— Arrêtons-nous! criaient les danseurs menés par une force étrangère.

Leurs mains soudées les unes aux autres, ils tournaient sur un plancher brûlant.

— NON! criait Colette. JE NE VEUX PAS!

La musique s'arrêta. Et la danse. Près de Colette était quelqu'un tout de rouge habillé.

— C'est moi, oui: Satan! Le futur mari, c'est moi! Je viens chercher Colette qui a dit, ce matin même: "Plutôt épouser le diable que de coiffer sainte Catherine."

Ce fut une bousculade indescriptible vers la seule porte, pendant que la grande voix de Satan répétait:

— Colette ma femme, viens régner avec moi au royaume de l'enfer.

A peine les derniers invités étaient-ils sortis, que la masure croula. La voix sépulcrale de l'époux et les lamentations de Colette s'entendirent encore pendant quelques moments, puis ce fut le silence, un silence plus terrifiant que tout le tumulte.

De la masure de Colette et de son frère, celui-ci consumé sous les ruines, il ne resta debout qu'une seule

le bout   end

la tranche   slice
l'arc-en-ciel (m)   rainbow
se faufila   slipped
l'éclat (m) de rire
    burst of laughter
le fond   depths

le réveillon   midnight supper

le souffle   breath
sonna   struck

l'éclair (m)   flash of lightning

soudé   soldered

plutôt   I'd as soon

la bousculade   jostling

le royaume   kingdom

croula   collapsed
l'époux (m)   groom
s'entendirent   were heard

poutre. C'est de loin que les villageois remarquèrent ce
détail. Car personne n'osait plus se rapprocher des lieux
où le Malin s'était montré en personne. Mais un jour,
un soir plutôt, des années plus tard, un passant
étranger vit une forme blanche qui traçait, en lettres de
feu, sur la poutre brûlée, ces imprudents mots: "Plutôt
épouser le diable que de coiffer sainte Catherine."

    Qu'est-ce qu'une légende? C'est un récit auquel il
faut faire semblant de croire — comme nous venons de
le faire.

le villageois   villager

le Malin   Evil One
le passant   passer-by

Rencontres
nationales

Mon Pays

Gilles Vigneault

Mon pays ce n'est pas un pays c'est l'hiver
Mon jardin ce n'est pas un jardin
                                      c'est la plaine
Mon chemin ce n'est pas un chemin
                                      c'est la neige
Mon pays ce n'est pas un pays c'est l'hiver

Dans la blanche cérémonie
Où la neige au vent se marie   se marie   is joined
Dans ce pays de poudrerie   la poudrerie   blowing snow
Mon père a fait bâtir maison
Et je m'en vais être fidèle   fidèle   faithful
A sa manière à son modèle
La chambre d'amis sera telle   telle   such
Qu'on viendra des autres saisons
Pour se bâtir à côté d'elle

Mon pays ce n'est pas un pays c'est l'hiver
Mon refrain ce n'est pas un refrain
                                      c'est rafale   la rafale   gust of wind
Ma maison ce n'est pas ma maison
                                      c'est froidure
Mon pays ce n'est pas un pays c'est l'hiver

De mon grand pays solitaire
Je crie avant que de me taire
A tous les hommes de la terre
Ma maison c'est votre maison
Entre mes quatre murs de glace
Je mets mon temps et mon espace
A préparer le feu la place
Pour les humains de l'horizon
Et les humains sont de ma race

Mon pays ce n'est pas un pays c'est l'hiver
Mon jardin ce n'est pas un jardin
                          c'est la plaine
Mon chemin ce n'est pas un chemin
                          c'est la neige
Mon pays ce n'est pas un pays c'est l'hiver

Mon pays ce n'est pas un pays c'est l'envers   l'envers (m)   le contraire
D'un pays qui n'était ni pays ni patrie   la patrie   native land
Ma chanson ce n'est pas ma chanson
                          c'est ma vie
C'est pour toi que je veux posséder
                          mes hivers...

Gilles Vigneault, extrait de *Avec les Vieux Mots*, Les Nouvelles
Editions de l'Arc, Montréal

Le Costume du Voyageur

Antoine Champagne

Le costume du Voyageur nous a été souvent décrit. Une chemise, ordinairement rouge, un bonnet de fourrure et plus tard une tuque en laine rouge; des jambières en peau de chevreuil appelées mitasses qui lui couvraient les jambes; des souliers de chevreuil, sans bas; une braie qui lui laissait le haut des jambes nu; une ceinture fléchée dont les bouts pendaient du côté gauche; une bourse ou sac en peau de chevreuil ornementée de rassade aux couleurs voyantes qui se nommait "sac-à-feu."

la fourrure   fur
la jambière   legging
la peau de chevreuil   buckskin
la braie   breeches

fléché   with an arrow design
pendaient   hung
la bourse   pouch
la rassade   glass beading
voyant   bright

Le Voyageur y logeait son inséparable pipe, son briquet, son tabac et ses autres possessions les plus chères. Le "sac-à-feu" se portait au côté, passé dans la ceinture, à côté d'un couteau à gaine. Parfois le Voyageur se mettait un mouchoir au cou et même sur la tête, mais il préférait son inséparable tuque. Un compagnon non moins fidèle était son célèbre "capot" à capuchon, ordinairement bleu. Comme plusieurs autres mots du Voyageur, le mot capot est resté "en anglais" et désigne un manteau à capuchon dont se servent les hommes du Nord encore aujourd'hui.

logeait   mettait
le briquet   flint

la gaine   sheath

le capot   long coat
le capuchon   hood

désigne   indique

Contrairement à ce qu'on a généralement cru, le Voyageur n'était pas de stature héroïque. On préférait des hommes plutôt courts, pas trop d'embonpoint non plus, à cause du manque d'espace dans les canots et du poids. Le Voyageur ne dépassait guère cinq pieds et cinq pouces. Il était de force herculéenne cependant et avait une merveilleuse résistance. Il pouvait avironner ou comme il disait: "nager à l'aviron" depuis l'aurore (ou "la barre du jour") jusqu'au soir, c'est-à-dire de quinze à dix-huit heures durant la belle saison sans en ressentir de fatigue excessive; il pouvait portager, c'est-à-dire porter les pièces de marchandises toutes arrangées d'avance en paquets de quatre-vingt-dix livres et se charger de deux ou trois et même quatre ou cinq de ces ballots et passer à travers rochers et forêts avec une rapidité étonnante. Sa force résidait surtout dans ses bras. On prétend même que le canotage lui développait les bras d'une longueur disproportionnée. Le Voyageur a laissé, dans l'Ouest canadien au moins, des descendants d'une très grande endurance car la race métisse d'il y a soixante-quinze ans était, au dire de tous ceux qui l'ont connue, une race entièrement forte et virile.

trop d'embonpoint (m)   too fat
le manque   lack
dépassait   exceed

avironner   paddle
l'aurore (f)   dawn

ressentir   feeling

la livre   pound
se charger de   load himself with
le ballot   bundle
passer à travers   cross
le rocher   rock
on prétend   it is claimed
le canotage   canoeing

métisse   of mixed blood
au dire de   according to

CHEMISE ROUGE

BONNET DE FOURRURE

TUQUE EN LAINE
ROUGE

CAPOT A CAPUCHON
ET CEINTURE FLECHEE

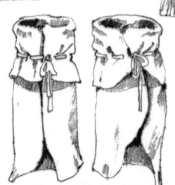

JAMBIERES EN PEAU
DE CHEVREUIL
(MITASSES)

SOULIERS DE CHEVREUIL

COUTEAU

SAC-A-FEU

Un Canadien errant

Antoine Gérin-Lajoie

Un Canadien errant,
Banni de ses foyers,
Parcourait en pleurant
Des pays étrangers.

errant   wandering
banni   banished
les foyers (m)   le pays
parcourait   wandered through

Un jour, triste et pensif,
Assis au bord des flots,
Au courant fugitif
Il adressa ces mots:

les flots (m)   la rivière

"Si tu vois mon pays,
Mon pays malheureux,
Va dire à mes amis
Que je me souviens d'eux.

O jours si pleins d'appas,
Vous êtes disparus...
Et ma patrie, hélas!
Je ne la verrai plus.

les appas (m)
  les charmes (m)

la patrie   native land

Non, mais en expirant,
O mon cher Canada,
Mon regard languissant
Vers toi se portera."

en expirant   while dying

languissant   yearning
se portera   will turn

Le Déserteur

Boris Vian

Monsieur le Président
Je vous fais une lettre
Que vous lirez peut-être
Si vous avez le temps

Je viens de recevoir
Mes papiers militaires
Pour partir à la guerre
Avant mercredi soir

Monsieur le Président
Je ne veux pas la faire
Je ne suis pas sur terre
Pour tuer des pauvres gens

C'est pas pour vous fâcher
Il faut que je vous dise
Ma décision est prise
Je m'en vais déserter

Depuis que je suis né
J'ai vu mourir mon père
J'ai vu partir mes frères
Et pleurer mes enfants

Ma mère a tant souffert
Qu'elle est dedans sa tombe
Et se moque des bombes
Et se moque des vers

souffert   suffered

se moque de
  pays no attention to
le ver   worm

Quand j'étais prisonnier
On m'a volé ma femme
On m'a volé mon âme
Et tout mon cher passé

l'âme (f)   soul

Demain de bon matin
Je fermerai ma porte
Au nez des années mortes
J'irai sur les chemins

Je mendierai ma vie
Sur les routes de France
De Bretagne en Provence
Et je dirai aux gens

Refusez d'obéir
Refusez de la faire
N'allez pas à la guerre
Refusez de partir

S'il faut donner son sang
Allez donner le vôtre
Vous êtes bon apôtre
Monsieur le Président

Si vous me poursuivez
Prévenez vos gendarmes
Que je n'aurai pas d'armes
Et qu'ils pourront tirer

mendierai   will beg

le sang   blood

l'apôtre (m)   apostle

poursuivez   pursue
prévenez   informez
le gendarme   soldier

Biographies

Roch Carrier

Clémence Desrochers

Il était une fois...

Chef Dan George

Angèle Arsenault

Gilles Vigneault

Angèle Arsenault
Compositeur, interprète

1943 Elle est née à Abrams Village,
Ile-du-Prince-Edouard, le 1er octobre.

1963 Elle commence sa carrière d'interprète à
Moncton et s'accompagne au piano et à la
guitare.

1965 Elle obtient son B.A. de l'Université de Moncton.

1968 M. LITT. (Laval). Elle fait des tournées dans le
Québec.

1973 Elle commence à composer et à interpréter ses
propres chansons, dont "Evangeline, Acadian
Queen." Pour TV Ontario, elle prépare un
programme, *Avec Angèle,* qui lui méritera un
Golden Hugo Award au festival du film de
Chicago en 1974.

1975 Elle figure dans le film de Anne-Claire Poirier,
Le Temps de l'avant (Office national du film). Un
recueil de ses chansons, *Première,* paraît
à Montréal.

1979 Son disque, *Libre,* se mérite le prix ADISQ.

Roch Carrier
Ecrivain, professeur

1937 Il est né le 13 mai à Sainte-Justine-de-Dorchester.

1961 Il étudie et voyage trois ans en Angleterre, en
France et en Espagne.

1964 *Jolis Deuils,* sa première collection de nouvelles,
gagne le prix de la Province de Québec.

1968 Sa pièce, *La Guerre, yes Sir!* est un grand succès.

1971 Il devient le dramaturge attitré du Théâtre du
Nouveau Monde.

1980 Il gagne le grand prix littéraire de la ville de
Montréal pour son roman *Les Enfants du
bonhomme dans la lune.*

1981 Après avoir adapté certains de ses romans pour la
scène, il écrit *La Céleste Bicyclette* pour le célèbre
comédien, Albert Millaire.

Antoine Champagne
Historien

1892   Il est né à Saint-Norbert, Manitoba.

1911   Il se rend à Rome pour faire des études en théologie.

1915   Il est ordonné prêtre de la communauté des Chanoines réguliers de l'Immaculée-Conception.

1916   Il obtient un doctorat en théologie.
Pendant six ans, il enseigne en France.

1922   Après son retour au Manitoba, il devient vicaire puis curé à Notre-Dame-de-Lourdes.

1968   Il publie son premier livre d'histoire: *Les La Vérendrye et le poste de l'Ouest*. D'autres suivront.

Monique Champagne
Ecrivaine, comédienne, script-assistante

1955   Après avoir suivi des cours à l'Université de Montréal et à l'Ecole du Nouveau-Monde, cette montréalaise se lance dans une carrière radiophonique.

1958   Au cours des huit prochaines années, elle participe à plusieurs émissions dramatiques tant à la radio qu'à la télévision.

1962   Elle fait partie de la troupe de Gratien Gélinas, La Comédie Canadienne.

1967   Elle gagne le prix du Canada, section nouvelle, décerné par la Commission du Centennaire.

1968   Elle fait paraître un recueil de nouvelles, *L'Ecorce des jours*.

1974   Elle explique une de ses carrières dans *Le Métier de script*.

Robert Choquette
Poète, romancier

1905   Il est né à Manchester, New Hampshire.

1913   Il est arrivé à Montréal avec ses parents.

1925   Son premier recueil de poésie, *A travers les vents*, paraît à Montréal.

1926   Il est récipiendaire du Prix David qu'il gagnera encore en 1932 et en 1954.

1931   Il publie *Metropolitan Museum*, une sorte de fresque de la civilisation.

1941   Plusieurs de ses oeuvres romanesques, dont *Les Velder*, deviennent des séries radiophoniques.

1953   Il publie *Suite Marine*.

1964   Il est choisi comme représentant du gouvernement de la province de Québec, à Bordeaux, France. Plus tard, il sera ambassadeur du Canada à Buenos Aires.

1974   Il devient président de l'Académie canadienne-française.

1975   Il publie *Le Sorcier d'Anticosti et autres légendes canadiennes*.

Clémence Desrochers
Comédienne, monologuiste, poète, chansonnier

1933   Elle est née à Sherbrooke.

1956   Après l'Ecole normale, elle enseigne au niveau primaire.

1958   Elle fait des études au Conservatoire d'art dramatique. Elle fait ses débuts comme chansonnier au cabaret St-Germain-des-Prés à Montréal avec Jacques Normand.

1959   Elle commence une longue association avec Radio-Canada avec le monologue: "Ce que toute jeune fille devrait savoir, ou mon entrée à Radio-Canada".

1960   Elle joue dans de nombreuses séries télévisées dont *La Famille Plouffe* et *Quelle Famille*.

1965   Elle fonde plusieurs boîtes à chanson dont La Boîte à Clémence.

1971   *C'est pas une revue, c't'un show* est une des nombreuses revues qu'elle a organisées.

1978   Plusieurs volumes de ses poèmes, chansons et monologues ont paru dont *Les Trouvailles de Clémence*.

Chef Dan George
Acteur, écrivain

1899   Il est né sur la côte du Pacifique.

      Il a travaillé comme débardeur avant de devenir chef de la tribu Tse-lal-watt.

1960   Sa carrière d'acteur est lancée quand il joue un rôle dans *Cariboo Country* à la télévision.

1968   Il a joué dans *The Ecstasy of Rita Joe* au Vancouver Playhouse.

1970   Son rôle dans le film *Little Big Man* lui a valu le New York Film Critics Award.

1981   Il est mort.

Antoine Gérin-Lajoie
Dramaturge, essayiste, romancier

1824   Il est né à Yamachiche.

1837   Il commence ses études secondaires au Collège de Nicolet.

1842   Il compose une chanson qui l'a rendu célèbre: "Un Canadien errant".

1844   Il compose *Le Jeune Latour*, une pièce en vers, la première tragédie canadienne en langue française.

1848   Il devient avocat.

1854   On le nomme traducteur à l'Assemblée législative à Québec.

1856   On le nomme bibliothécaire adjoint du Parlement à Toronto.

1860   Revenu à Québec, il participe activement à la vie littéraire et à la fondation des *Soirées canadiennes* et du *Foyer canadien*.

1862   *Jean Rivard, le défricheur* paraît.

1865   Il déménage avec sa famille à Ottawa où il travaille toujours comme bibliothécaire.

1882   Il meurt des suites d'une paralysie le 7 août.

René Goscinny
Ecrivain, humoriste, dessinateur

1926   Il est né le 14 août à Paris et il passe sa jeunesse en Argentine.

1945   Il fera deux ans de service militaire en France où son talent de dessinateur humoriste le fait remarquer.

1949   Installé à New York, il obtient ses premières commandes de dessins publicitaires et de livres pour enfants.

1958   Il se joint au dessinateur Jean-Jacques Sempé pour produire une série de récits dont le personnage principal est un certain petit Nicolas.

1959   *Astérix*, une nouvelle bande dessinée avec texte de Goscinny et dessins d'Albert Uderzo, prend le marché d'assaut. Les albums se succéderont et Astérix et les Gaulois deviendront des héros nationaux.

1977   Au moment de sa mort, Goscinny préparait son dernier album, *Astérix chez les Belges*.

Raymond Lévesque
Chansonnier, poète

1928   Il est né à Montréal le 7 octobre.

1944   Pendant les dix années qui suivent, il travaille au poste radiophonique CKAC. Il étudie l'art dramatique.

1955   Au cours d'un séjour de cinq ans à Paris, il se produit dans diverses boîtes à chanson.

1960   De retour au Canada, il continue sa carrière de chansonnier.

1971   Il fait paraître deux recueils de poésie: *Au fond du chaos* et *Le Malheur a pas de bons yeux* et une pièce de théâtre, *Bigaouette*.

Andrée Maillet
Romancière et poète

1921 Elle est née à Montréal.

1932 Ses premiers écrits sont publiés.

1952 Elle devient directrice de la revue *Amérique française.*

1965 On lui accorde le premier prix littéraire de la Province de Québec (section jeunesse) pour *Le Chêne des tempêtes.*

1966 Elle publie ses *Nouvelles montréalaises.*

1974 Elle est reçue à l'Académie canadienne-française.

Guy de Maupassant
Conteur, romancier

1850 Il est né à Tourville-sur-Arques.

1870 Il s'engage dans la guerre Franco-Prussienne.

1873 Il rencontre et fréquente Flaubert.

1880 Il collabore aux *Soirées de Médan* en y publiant *Boule de Suif.* Pendant les années qui suivent, les romans et les recueils de contes se multiplient.

1884 Il commence à souffrir de troubles nerveux.

1892 Le 1er janvier, il tente de se suicider. Il est interné à la clinique du Dr Blanche.

1893 Il meurt à la clinique.

Georges Moustaki
Chansonnier

1934 Naissance de Georges Moustaki

1951 Il arrive le 12 novembre à Paris.

1958 Il compose "Milord," chanson rendue célèbre
      par Edith Piaf.

1968 Il commence à interpréter ses propres chansons.

1969 "Il y avait un jardin"

1971 Il monte sa propre maison d'édition.

1973 Il justifie sa vie, son art dans *Questions à la
      chanson*.

Jacques Prévert
Poète, cinéaste

1900 Il est né le 4 février à Neuilly-sur-Seine.

1915 Il quitte l'école.

1920 C'est pendant son service militaire qu'il
      rencontre le peintre Tanguy et le futur directeur
      de la Série Noire, Marcel Duhamel, deux des
      membres de la future Bande à Prévert.

1930 Il commence à publier des poèmes dans des
      revues.

1932 Avec un groupe d'amis, il fonde le groupe
      Octobre pour monter des spectacles à la porte
      des usines.

1942 Après avoir écrit des scénarios pour Jean Renoir,
      il en écrit pour Marcel Carné, dont *Les Visiteurs
      du soir*.

1946 C'est avec la publication de *Paroles* que Prévert
      devait atteindre la célébrité.

1977 Il est mort d'un cancer du poumon le 11 avril.

Boris Vian
Auteur, chansonnier, musicien

1920   Il est né le 10 mars à Ville d'Avray, près de Paris.

1932   Il commence à souffrir de rhumatisme cardiaque.

1939   Il reçoit son diplôme d'ingénieur.

1943   Il devient trompettiste dans un orchestre de jazz amateur

1945   Il commence à publier ses premiers textes. Il écrit des romans ainsi que des pièces de théâtre et des poèmes au cours des prochaines années.

1954   Il passe ses dernières années à faire des tours de chant, des disques. Il écrit de nombreuses chansons, dont "Le Déserteur," des comédies musicales, des scénarios de films.

1959   Il est mort pendant la projection d'un film tiré d'une de ses oeuvres, *J'irai cracher sur vos tombes*.

Gilles Vigneault
Chansonnier, compositeur, poète, éditeur

1928   Il est né à Natashquan, sur la Côte Nord, le 27 octobre.

1953   Il a fait ses études universitaires à Laval où il obtient une licence ès lettres. Il s'est ensuite lancé dans l'enseignement des mathématiques et du français.

1959   Il a fondé Les Editions de l'Arc où il a fait paraître une vingtaine de recueils de poèmes, de contes et de chansons.

1960   Au mois d'août, il chante en public pour la première fois "Jos Monferrand" qu'il avait composé en 1957 et qui avait été chanté sur disque par Jacques Labrecque.

1965   C'est le grand succès de "Mon Pays," interprété par Monique Leyrac. Il gagne le prix du Gouverneur général pour son recueil de poèmes, *Quand les bateaux s'en vont*. A partir de cette date, sa popularité devient très grande et il fait des tournées au Canada et en Europe.

1975   Il compose "Gens du pays" pour la fête de la Saint-Jean à Montréal.

Glossaire

A

abandonner: to abandon

abattre: to strike down, to knock down

s'abattre: to come down, to fall down

abonné(e) (m, f): subscriber

abords (m): surroundings, approaches

    aux abords: at the outskirts

aboyer: to bark

abruti (m): fool, idiot

abruti: dazed

absorbé: absorbed

accentuer: to emphasize

accord (m): agreement

    d'accord: O.K., in agreement

accorder: to grant, to present

accouchement conscient (m): conscious delivery

s'accrocher: to cling to, to hold on to

accueil (m): welcome, reception

accueillir: to welcome, to attract

achat (m): purchase, shopping

acheter: to buy

achevé: finished (off)

acier (m): steel

acquérir: to acquire

actuel: present, of today

addition (f): bill

adjoint (m): assistant

admis (admettre): admitted

affaire (f): business, concern, affair

    avoir affaire à: to have to deal with

    sa petite affaire: his, her own thing

affaires (f pl): business; things; articles

affluer: to be plentiful

affolé: panicky, terrified, crazy, wild

affreux: frightful, terrible

afin: in order

aggraver: to make worse

agi (se fût agi): were a question of

agir: to act, to behave

s'agir de: to be a question of, to concern

agneau (m): lamb

ahuri: bewildered, dazed

aider: to help

aile (f): wing

ailleurs: somewhere else

aimable: nice, amiable

aimer: to like, to love

ainsi: thus, so

air (m): air; look; song

    à lui voir l'air: from the look of him

    avoir l'air de: to look like

    l'air ensorcelé: under a spell

    s'envoyer en l'air: to act crazy

aise (f): ease

    à leur aise: at ease; undisturbed

    mal à l'aise: uneasy

ait (avoir): have

    il y ait: there are

ajouter: to add

Alcooliques Anonymes: an organization founded in 1934 that helps alcoholics help themselves

alim gén (alimentation générale) (f): grocery store

Allemagne (f): Germany

allemand: German

aller: to go; to suit

    aller au bout: to exhaust

    aller chercher: to go and get

    si on allait: what if we went

s'en aller: to leave, to go away

allô: hello (telephone)

allonger: to lengthen

allumer: to light

alors: so, then

alouette (f): lark (bird)

altercation (f): dispute, fight

amabilité (f): kindness

ambiance (f): atmosphere

âme (f): soul, spirit

améliorer: to improve

amener: to bring (along), to take

amertume (f): bitterness

ami(e) (m, f): friend

amour (m): love

s'amuser: to have a good time

an (m): year

    jour de l'an (m): New Year's Day

âne (m): donkey

Anglais (m): Englishman, English speaking Canadian

anglais: English

Angleterre (f): England

anglophone: English speaking

angoisse (f): anguish, uneasiness

anguille (f): eel

animaux (m pl): animals

année (f): year

annonce (f): advertisement

annuellement: annually

antichambre (f): anteroom, chamber

antipathique: disliked

anxieux: unhappy, nervous

août (m): August

s'apercevoir: to notice

aperçoit (apercevoir): sees, notices

s'aperçut (s'apercevoir): realized, noticed

aplatir: to smooth (out)

apôtre (m): apostle

apparaître: to appear, to become visible

appareil (m): camera; machine

appartenir: to belong

apparu (apparaître): appeared

appas (m pl): charms

appel (m): call

appeler: to call

s'appeler: one's name is

applaudissant (applaudir): applauding

appliquer: to apply

s'appliquer: to do one's best; to apply to

apporter: to bring

apposer: to stamp

apprendre: to learn; to inform; to teach

apprentissage (m): apprenticeship

s'approcher: to come closer, to approach
approprié: appropriate
s'appuyer: to lean
après: after
    d'après: according to, from
après-midi (m): afternoon
arbitre (m): referee
arborer: to wear (proudly); to hoist
arbre (m): tree
arc-en-ciel (m): rainbow
argent (m): money; silver
argenterie (f): silverware
arme (f): weapon
armoire (f): cupboard, dresser
arracher: to snatch away; to tear out, to rip out, to pull out
arrêter: to stop
arrière: behind, back
arrivée (f): arrival
arriver: to arrive; to happen
arroser: to water, to sprinkle
art (m): art
    marchand (m) d'art: art dealer
articuler: to pronounce
ascenseur (m): elevator
    garçon (m) d'ascenseur: elevator operator
assaut (m): assault, attack
s'asseoir: to sit down
assez: enough; quite
assiette (f): plate
assis: sitting
assistance-annuaire (f): directory assistance
s'assit (s'asseoir): sat down
assoupi: deadened, suppressed
assujettissement (m): submission
assurer: to assure; to fasten
attaché (m): official, attaché
s'attarder: to take a long time
atteindre: to reach, to attain
atteint (atteindre): reaches, arrives at; reached, arrived at
atteler: to harness, to tie up (horse)
attendre: to wait for
    attendre que: to wait until

s'attendre à: to expect
atterré: crushed, devastated
attirer: to attract, to draw
attitré: regular, appointed
attrait (m): attraction, appeal
attraper: to catch
attroupement (m): gathering
auberge (f): inn, guest house
aubergiste (m, f): innkeeper
aucun: no, not any, none, any
augmenter: to increase
au pair: a student lives with a family and assumes household duties in exchange for room and board.
auprès: close to, near, by
aurait (avoir): would have
auras (avoir): will have
aurez (avoir): will have
aurore (f): dawn
aussitôt: as soon as
autant: as many, as much as
    d'autant plus: all the more
auto (f): car
    auto-école (f): driving school
auto: self
    auto-portrait (m): self-portrait
automne (m): fall, autumn
    aux reflets (m) d'automne: with autumn hues
autour de: around
autrefois: formerly; long ago
avaler: to swallow
avance: en avance: early
avant: before
avantage (m): advantage
    tirer avantage: to take advantage
avare: miserly, stingy
avenir (m): future
avidement: avidly, greedily
avion (m): plane
aviron (m): paddle
aviser: to catch a glimpse of, to perceive; to warn, to notify
avocat (m): lawyer
avoine (f): oats
avoir: to have
    avoir besoin de: to need
    avoir de la chance: to be lucky

    avoir honte: to be ashamed
    avoir lieu: to take place
    avoir peur: to be afraid
    avoir raison: to be right
    avoir tort: to be wrong
    Qu'est-ce que tu as?: What's the matter (with you)?
avouer: to admit, to vow
ayant (avoir): having
    ayant soin: taking care
ayez (avoir): have
    n'ayez pas peur: don't be afraid
azalée (f): azalea (flower)

B

bac (baccalauréat) (m): General Certificate in Education (after high school)
bachotage (m): (slang) "cramming" for the "bac"
bague (f): ring
baiser (m): kiss
bal (m): dance, ball
balancer: to swing, to balance
balbutier: to stammer
balle (f): ball; bullet
ballon (m): ball
ballot (m): bundle
banc (m): bench
bande (f): group, band
    bande dessinée: comic strip
banni: banished
bannir: to exile, to banish
barreau (m): bar, rail
bas (m): stocking; bottom
bas: low
    d'en bas: from below
bataille (f): battle
bateau (m): boat
bâtiment (m): building
bâtir: to build
    fait bâtir: built
bâtisse (f): building
bâton (m): stick
battre: to beat
se battre: to fight
beau: nice, beautiful
    beau-frère (m): brother-in-law

beau-père (m): father-in-law
beauté (f): beauty
bébé (m): baby
bêcher: to dig
bégayer: to stutter
bégonia (m): begonia (flower)
Belgique (f): Belgium
Bélier (m): ram, Aries (astrology)
belle (beau): nice, beautiful
    belle-mère (f): mother-in-law
benêt (m): fool
benêt: simple, stupid
bénir: to bless
bercer: to rock
bernique: nothing doing! no way!
besogne (f): task, job
besoin (m): need
    avoir besoin: to need
bestiaux (m pl): cattle, livestock
bêta: stupid, dummy
bête (f): animal, beast
    bête de somme: pack animal
bête: stupid, silly
bêtise (f): foolishness
béton (m): concrete, cement
bibelot (m): knick-knack; trinket
bibliothécaire (m): librarian
bibliothèque (f): library
bien: well
    bien de: many, a lot
    bien entendu: of course
    bien sûr: of course
    faire bien: to suit, to fit
bigre: satanée bigre de chienne (f): devilish old hag!
bijou (m): jewel
bijoutier (m): jeweller
billet (m): bill; ticket
bitume (m): pavement
Bjorn Borg (1956-   ): Swedish tennis player who is one of the all-time greats
blé (m): wheat
blouson (m): windbreaker
    blouson à la corde: cord jacket
boire: to drink

bois (m): wood; forest
    bois de plage: driftwood
boisson (f): drink
    boisson gazeuse: soft drink
boîte (f): box; (night) club
    boîte à ouvrage: work basket
bol: en a ras le bol: is fed up
bonbon (m): candy
bond (m): jump, leap
    d'un bond: with a leap
bondir: to jump
bonheur (m): happiness
bonhomme (m): nice man
    bonhomme de neige: snowman
bonjour: hello; good-bye (C)*
bonne (f): maid
bonnet (m): cap
bord (m): edge, shore
    bord de la mer: seaside
Borg, Bjorn (1956-   ): Swedish tennis player who is one of the all-time greats
botte (f): boot
bottine (f): boot
bouche (f): mouth
boucher: to stuff, to plug, to fill
boucher (m): butcher
bouder: to pout
bouger: to move
    faire bouger: to flutter
bougie (f): candle
bouillir: to boil
bouillon (m): soup; bubble
bourdonner: to buzz; to hum
bourgeois: of the middle class; common
bourreau (m): hangman
bourse (f): pouch, purse; stock market
bousculade (f): shoving
bousculer: to shove around, to knock, to jostle, to push
se bousculer: to pour out
bout (m): end; bit, piece
    aller au bout: to exhaust
    au bout de: after
    bout de temps: a while
boute (m): piece (C)
bouteille (f): bottle
braie (f): breeches
bras (m): arm

à bras raccourcis: with all one's might
bravement: bravely
braver: to be brave, to face
bref: brief(ly); in short
Bretagne (f): Brittany
Breton(ne) (m, f): person from Brittany
breuvage (m): beverage
brevet (m): certificate
brigade (f) des moeurs: vice squad
brillant (m): diamond
briller: to shine
brin (m): blade of grass; touch
brique (f): brick
briquet (m): lighter; flint
briser: to smash, to break
bronzé: tanned
brouillard (m): fog
bruine (f): fine rain, drizzle
bruit (m): noise
brûler: to burn
brun: brown, dark-haired
brusquement: suddenly; roughly
brutal: rough
bu (boire): drank
bûcher: to work hard; to cut trees (C)
bûcher (m): woodshed
bûcheron (m): lumberjack
buisson (m): bush
bulletin (m): report
    bulletin d'inscription: registration form
bureau (m): office
    bureau de direction: board of directors
    bureau de poste: post office
    machines (f pl) de bureau: office machines
    meubles (m pl) de bureau: office furniture
buse (f): fool, blockhead
buter: to bump
buvait (boire): drank

C

cabane (f): hut
cabaret (m): (night) club
cacher: to hide

*(C) indique un mot employé seulement au Canada

cachette (f): hiding place
  en cachette: secretly
cadavre (m): dead body
cadeau (m): gift, present
cadre (m): frame
café (m): coffee; restaurant
caillou (m): stone, pebble
calcul (m): calculation; calculus
calculer: to calculate, to figure out
cale (f): hold (of ship)
calligraphie (f): handwriting
  douce calligraphie: nice handwriting
calorifère (m): stove, radiator
camarade (m, f): friend
  camarade de chambre: room-mate
camion (m): truck
camp: ficher le camp: to disappear, to scram
campagne (f): country
  en pleine campagne: in the open country
canaille (f): scoundrel
cancre (m): dunce, lazy student
canotage (m): canoeing
caoutchouc (m): rubber
  disque (m) de caoutchouc: puck
capitonné: upholstered
capot (m): long coat
capricieux: whimsical
capuchon (m): hood
car: for, because
carême (m): Lent
carré (m): square
  carré de soie: silk scarf
carré: square
carrière (f): career
carrosse (m): coach, carriage
carte (f): map; card
cas (m): case
casque (m): helmet
  casque d'écoute: earphones
casser: to break
  casser d'un coup sec: to snap
cause (f): cause
  à cause de: because of
causerie (f): talk, chat

cavalier (m): suitor, boyfriend
ceci: this
céder: to yield, to give in
ceinture (f): belt
cela: that
célèbre: famous
céleste: heavenly
celle: the one
celui: the one
cendre (f): ash, ashes
cendrier (m): ash tray
cent: one hundred
centaine (f): about a hundred
cependant: however
certes: certainly
cerveau (m): brain
cervelle (f): brain
  se creuser la cervelle: to rack one's brains
cesse: sans cesse: continually, endlessly
cesser: to stop
c'est-à-dire: that is (to say)
ceux: those
chacun: each one, each of us
chagrin (m): sadness, pain, trouble
chaîne (f): chain
chair (f): flesh
chaise (f): chair
chaleur (f): heat, warmth
chambre (f): room
  camarade (m, f) de chambre: room-mate
champignon (m): mushroom
Champs-Elysées (m pl): a beautiful boulevard in Paris
chance (f): (good) luck, fortune
  avoir de la chance: to be lucky
chanceux (m): lucky guy
chanceux: lucky
chandail (m): sweater
chanoine (m): canon (religious)
chanson (f): song
chansonnier (m): (variety) singer; song writer
chant (m): singing
chanteur(euse) (m, f): singer
chapeau (m): hat

chapelet (m): string of beads
chapitre (m): chapter
chaque: each
charbon (m): coal, charcoal
charger: to load; to charge; to take off
charmant: charming
charpente (f): frame, framing
charpentier (m): carpenter
charrette (f): cart
charrier: to carry, to transport, to cart
chasse (f): hunt
chasser: to hunt, to chase
châtain: (chestnut) brown
chaudron (m): cauldron
chauffage (m): heating
  chauffage à l'huile: oil heating (C)
chauffer: to heat; to get warm; to stoke
chauffeur (m): driver; heater, stoker
chaussette (f): sock
chef (m): head, boss
  chef d'équipe: team captain
  chef-d'oeuvre: masterpiece
chemin (m): road, way
  chemin de fer: railway
chemise (f): shirt
chemisier (m): blouse
chêne (m): oak (tree)
cher: dear, beloved; expensive
chercher: to look for
  aller chercher: to go and get
chérie (f): sweetheart, darling
cheval (m): horse
chevalier (m): suitor; horseman
chevaux (m pl): horses
cheveux (m pl): hair
cheville (f): ankle
chevreuil (m): deer, buck
  peau (f) de chevreuil: buckskin
  soulier (m) de chevreuil: buckskin moccasin
chic: elegant, in style
chienne (f): dog, bitch
  satanée bigre de chienne: devilish old hag!
chimie (f): chemistry

chlorophylle (f): chlorophyl
choeur (m): choir
choisir: to choose
choque (m): shock; bump
se choquer: to be touchy, to get uptight, to get mad
chose (f): thing
chouchouter: to coddle, to hug, to embrace
chouette: nice, cute, beautiful
chrétien (m): Christian
chuchotement (m): whisperings, rumours
chuchoter: to whisper
chute (f): fall
    de grande montée grande chute: pride goes before a fall
ci-dessous: below
ci-dessus: above
ciel (m): sky; heaven
cimetière (m): graveyard
cinéaste (m): scenario writer, film producer
cinéma (m): film, movie, show
citation (f): quotation
citer: to quote, to give
clair: clear
claque (f): smack, slap
clarté (f): clearness, clarity, brightness
clé (f): key
clignoter: to blink
climat (m): climate
clôture (f): fence
cocher (m): driver, coachman
coeur (m): heart
coffret (m): case, (small) box
cogner: to hit, to bump
coiffer sainte Catherine: to be 25 years old and unmarried
coiffeur(euse) (m, f): hairdresser
coiffure (f): hair style, head covering
coin (m): corner
colère (f): anger
    se mettre en colère: to get angry
collant: packing (snow); clinging

colle (f): glue
collet (m): collar
collier (m): necklace
    coup (m) de collier: effort, tug (by horse)
colombage (m): half-timbering; part wood
colombe (f): dove
combien: how much, how many
    Combien mesurez-vous?: How tall are you?
comble (m): limit, fill; height
    c'est le comble: that's the last straw
commande (f): order, contract
    formule (f) de commande: order form
commander: to order
comme: like, as
    comme il faut: thoroughly
    tout comme: just like
commencement (m): beginning
commencer: to begin
comment: how; what?!
commerçant (m): merchant
commis (m): salesman, clerk
commun: common
compagne (f): companion
comparaison (f): simile, comparison
compliqué: difficult, complicated
comporter: to include, to offer
composé: composed; hyphenated
compositeur (m): composer
comprendre: to understand
compromettre: to compromise; to jeopardize, to endanger
compromit (compromettre): compromised; risked; pledged
compte (m): account
    se rendre compte: to realize
compter: to count
comptoir (m): counter
conception (f): conception, imagination
    esprit (m) de conception: imaginative spirit
concierge (m, f): caretaker, superintendent

conclu: concluded
conduire: to drive
    permis (m) de conduire: driver's licence
se conduire: to behave
conduite (f): behaviour, conduct
confection (f): building, manufacture, construction
conférencier (m): lecturer
confiance (f): confidence
    confiance en soi: self-confidence
conflit (m): conflict
confondu: confounded
congé (m): holiday
connaissait (connaître): knew
connaissance (f): acquaintance; consciousness; knowledge
    faire connaissance: to meet, to get to know
    perdre connaissance: to faint
connaissant (connaître): knowing
connaître: to know
connu (connaître): met; known
conseiller: to advise
conséquent: par conséquent: consequently
considérer: to consider
constater: to notice
conte (m): story
    conte de fées: fairy tale
contenter: to make happy
conter: to tell
conteur (m): storyteller, writer
contraire: opposite, contrary
    au contraire: unlike
contrairement: contrary
contrariant: provoking
contrarié: opposed; angered
contre: against
    à contre-courant: anti-establishment
contrôle (m): check
convaincu: convinced
convenable: suitable
convenir: to suit, to do for
convoitise (f): desire, covetousness
copain (m): buddy
coq (m): rooster, cock
coquet(te): intimate, cute,

coquette (f): flirt
corde (f): cord, rope
  blouson (m) à la corde: cord
  jacket
corps (m): body
correspondance (f): similarity;
  correspondence
costume (m): suit, costume,
  dress, apparel; hockey
  sweater
côte (f): coast
  la Côte Nord: the North
  Shore
côté (m): side
  à côté de: beside
cotillon (m): Cotillion (dance),
  a folk dance
cou (m): neck
se coucher: to go to bed
  soleil (m) couché: sunset
coude (m): elbow
couler: to flow
couleur (f): colour
coup (m): blow; hit; swallow;
  drink
  casser d'un coup sec:
  to snap
  coup de collier: supreme
  effort, tug (by horse)
  coup d'épaule: help
  coup de fouet: blow with
  a whip
  coup des paupières:
  fluttering of eyelashes
  coup de pied: kick
  coup sec: sudden blow
  coup de sifflet: blast of a
  whistle
  faire le coup: to use
  jeter un coup d'oeil: to cast a
  glance
  prendre un coup: to take a
  drink
  recevoir un coup: to be hit
  **sonner les douze coups de
  minuit**: to strike twelve
  midnight
  tenir le coup: to stand up to,
  to take it
  t'es pas dans l'coup: you're
  not with it
  tout à coup: suddenly

coupé (m): (old, horse-drawn)
  carriage
couper: to cut
cour (f): courtship; yard
courant (m): current
  à contre-courant:
  anti-establishment
  en courant: running
  ne soient au courant de rien:
  don't have any idea of
  what's going on
  sortir en courant: to run out
courant: common
courbé: curved; bent, stooped
courir: to run; to pass by; to
  spread
cours (m): course
  suivre un cours: to take a
  course
  cours de mise à niveau:
  make up course
court: short
courtepointe (f): quilt
coussin (m): cushion
couteau (m): knife
coûter: to cost
coutume (f): habit, custom
couturière (f): dressmaker,
  seamstress
couvent (m): convent
couvert (couvrir): covered
couvert (m): table setting
couverture (f): blanket
couvre-feu (m): curfew
couvrir: to cover (up)
se couvrir de: to dress
  warmly in
cracher: to spit
craie (f): chalk
craignant (craindre): fearing
crâne (m): skull
craquer: to crack, to crackle;
  to burst
crasseuse (crasseux): filthy
créer: to create
creuser: to dig; to wrinkle
  se creuser la cervelle: to rack
  one's brains
creux: hollow
cri (m): shout, cry
  pousser un cri: to cry out; to
  utter a shout

cricri (m): cricket; chirping
crier: to shout
critique (f): criticism
  faire la critique: to criticize
critiquer: to criticize
croire: to believe, to think
croix (f): cross
crotte (f): mud, dirt
crotté: muddied
crouler: to collapse
crut (croire): thought
cueilli (cueillir): picked
cueillir: to pick, to collect
cuiller (f): spoon
cuisine (f): kitchen
cuisinière (f): stove
cuisse (f): thigh
  se taper sur les cuisses: to
  slap one's thighs
culbute (f): somersault, tumble
culbuter: to overturn, to
  somersault, to tumble
culotte (f): shorts, pants
cultiver: to grow, to cultivate
curé (m): priest (of parish)

D

d'abord: at first, first of all
d'accord: O.K.
d'ailleurs: moreover
davantage: more; longer
débardeur (m): dock worker,
  stevedore
débarquement (m):
  debarkation
débarrasser: to get rid of; to
  clear out
  débarrasser le logement: to
  clear out the house
déborder: to pour out
debout: standing, on one's feet
débris (m pl): pieces
début (m): beginning
débutant: starting
décacheter: to tear open
déception (f): disappointment
déchiré: in shreds
déchirer: to tear
déclassé: outcast; misfit
décloué: loose
déçoit (décevoir): deceives, upsets

décoller: to take off
décorer: to decorate
découper: to cut out
se décourager: to become discouraged
découvert (découvrir): discovered
découvrir: to discover, to uncover
décrire: to describe
décrocher: to earn, to get off, to take off
déçu (décevoir): disappointed, upset
dedans: in it, in
défaire: to take apart, to undo
défaut (m): (character) weakness, fault
défendre: to defend; to forbid
définir: to define
se défouler: to get it out of one's system; to go wild
défricher: to clear (trees)
défricheur (m): settler
défunt: deceased
se déhancher: to move one's hips
dehors: outside
déjà: already
déjeuner (m): breakfast (C); lunch (Fr.)
   petit déjeuner: breakfast (Fr.)
se délasser: to relax
délavé: washed out
délicatesse (f): delicacy, luxury, nicety
délivrer: to free, to deliver
demain: tomorrow
demander: to ask for
se demander: to wonder
déménager: to move (household)
demeurer: to stay, to remain; to live
demi: half
demoiselle (f): maiden, spinster, lady
dénouement (m): ending (of a story)
dentelle (f): lace
départ (m): departure

dépasser: to exceed
se dépêcher: to hurry
dépense (f): expense
dépenser: to spend (money)
se dépersonnaliser: to become impersonal
dépit (m): scorn
déplaire: to offend, to displease
déplier: to unfold
déposer: to put, to place
de profundis: a burial psalm
depuis: since; for
   depuis toujours: forever
dérobée: à la dérobée: secretly
dès: since, from; upon
désagréable: unpleasant
désarroi (m): confusion, embarrassment
désastre (m): disaster
désastreux: disastrous
désavantage (m): disadvantage
descendre: to come down, to go down
descente (f): descent; raid
désemparé: mixed up; helpless
désespéré: despairing, hopeless, disheartened
désespoir (m): despair
déshabillé (m): dressing gown
déshabillé: undressed
déshonorer: to bring disgrace upon
désigner: to designate, to indicate
désoeuvré: idle, nothing to do
désolé: sorry, grieved
désormais: from now on; from that moment on
dessin (m): sketch, design
dessinateur (m): designer, sketcher, artist
dessiner: to draw, to sketch; to designate
se dessiner: to stand out
dessous (m): underpart, floor
dessous: under (neath)
   par-dessous: under
dessus: over, above, upon; on it
   par-dessus: over
destin (m): fate
détresse (f): distress, problem

détruire: to destroy
dette (f): debt
deuil (m): mourning, grief
devait (devoir): owed
devant (devoir): having to
devant (m): the front
devant: before; in front (of)
devenir: to become
devenu (devenir): became
déversant: giving vent to, pouring out
dévêtu: undressed
deviner: to guess
devoir: to have to
devoir (m): duty
dévorer: to devour
dévotement: devotedly
devrais (devoir): ought, should
diable (m): devil
dialogué: spoken
diamant (m): diamond
dictée (f): dictation
didactique (f): teaching
Dieu (m): God
dîner (m): lunch (C); dinner (Fr.)
diplôme (m): diploma, degree, certificate
dire: to say, to speak, to tell
   au dire de: according to
   c'est-à-dire: that is (to say)
direction (f): direction
   bureau (m) de direction: board of directors
se diriger: to make one's way, to head for
discipliné: tamed
discours (m): speech
discuter: to discuss
disparaître: to disappear
disque (m): record
   disque de caoutchouc: puck
divers: diverse, different
se divertir: to have a good time
diviser: to divide
doigt (m): finger
   montrer du doigt: to point at
   se donner les doigts: to touch fingers
domicile (m): residence
dominer: to be dominant
dompter: to overcome,

to master, to tame

donc: therefore, so, then; do!

donner: to give

  ce que ça donnera: what will turn out

  donner envie: to make feel like

  donner lieu (m): to give rise

  donner sur: to look out on

  se donner les doigts: to touch fingers

dont: whose, (of) which

Dorchester: a street in Montreal

doré: gilded, gilt, golden

dormir: to sleep

dos (m): back

dot (f): wedding gift, dowry

doublé: folded

doublure: l'entre-doublure (f): lining

douce (doux): soft, sweet, mild, pleasant

  douce calligraphie (f): nice handwriting

doucement: softly

douceur (f): gentleness

douche (f): shower

doute (m): doubt

douter: to doubt

se douter: to suspect

dramaturge (m): playwright

drapeau (m): flag

se dresser: to straighten up

drogue (f): drug

droit (m): right; law

drôle: funny; strange

drôlement: funnily; strangely

dû (devoir): had to

dur: hard

la durée: length

durer: to last

E

eau (f): water

  eau-de-vie (f): brandy

ébloui: dazzled

ébranler: to shake, to tremble

écarter: to draw aside

s'écarter: to step away

échapper: to escape

s'échapper: to flee, to go by

éclabousser: to splash, to splatter

éclair (m): (flash of) lightning

  lancer des éclairs: to flash like lightning

éclairé: illuminated

éclat (m): glamour; radiance; explosiveness, burst

éclater: to explode, to burst (out)

  éclater de rire: to burst out laughing

économe: miserly; thrifty

écorce (f): bark

écossais: Scottish; tartan; checked

écoute (f): listening

  casque (m) d'écoute: earphones

écouter: to listen to

s'écrier: to exclaim, to shout, to cry out

écrin (m): box, case

écrire: to write

  machine (f) à écrire: typewriter

écrit (m): writing (pieces)

écriture (f): writing

écrivain (m): writer

s'écrouler: to crumble, to collapse

édition: maison (f) d'édition: publishing company

éducation (f): manners; education

effacer: to rub out

effaré: frightened, shocked

effarement (m): fright, alarm

s'effectuer: to be carried out, to take place

effet (m): effect

  en effet: in fact

efficace: effective

s'effondre: to crumble

s'efforcer: to try, to make efforts

effrayer: to frighten

effroyable: frightful

effusion (f): outpouring (of emotions, of affection)

égal: equal

également: also, likewise

égard: à l'égard de: with regard to

église (f): church

élan (m): try, jump, run; thrill; impetuosity

  prendre de l'élan: to dash forward

s'élancer: to throw (oneself); to rush

élevé: brought up

s'élever: to rebel; to rise (up)

éloigner: to keep away

s'éloigner: to move off

élu (élire): elected

emballage (m): packing, wrapping

embarquement (m): embarkation

embêté: embarrassed; hard pressed; annoyed

embonpoint (m): trop d'embonpoint: too fat

embrasser: to embrace, to kiss

émietter: to shred

emmener: to take (away), to lead (off)

émotif(ive): emotional

émotivité (f): emotion

émouvant: moving, emotional

s'emparer: to grab, to get hold of

empêcher: to prevent

emplissait (emplir): filled

employé (m): worker

employer: to use

emportement (m): transport of emotion (anger, joy)

emprisonner: to confine

emprunter: to borrow

ému: moved, affected, unsettled

enclin: inclined

encore: again; still

  encore une fois: once again

encre (f): ink

endormitoire (m): sleepiness (C)

endroit (m): place

s'énerver: to become upset

enfance (f): youth, childhood

enfant (m, f): child

enfer (m): hell

enfilé: gone into, slipped on

enfiler: to go into

enfin: finally

enfoncer: to pull (down); to shove, to drive, to thrust (in)

s'enfuir: to flee

engagement (m): promise, obligation

s'engager: to enlist

engouffrer: to engulf, to swallow up, to disappear

enlever: to take off

ennuyer: to bore; to bother

s'ennuyer: to be bored

ennuyeux: boring

énormément: enormously

enquête (f): inquiry

enseignement (m): teaching

enseigner: to teach

ensemble: together

ensorceler: to bewitch

    l'air ensorcelé: under a spell

ensuite: then, next

entendre: to hear

s'entendre: to get along; to be heard

    se faire entendre: to be heard

entendu: bien entendu: of course; understood

entièrement: completely

entour: à l'entour: around

entourer: to surround

s'entr'aider: to help one another

entraîner: to pull, to drag along

entre: between, amongst

entrée (f): entrance; main course (of meal)

entrepôt (m): warehouse, storage

entreprendre: to undertake

entreprise (f): business

entretien (m): conversation

envahir: to invade

envelopper: to wrap up; to encompass

envers (m): opposite, contrary

envers: towards

envie (f): desire

avoir envie de: to feel like

donner envie: to make feel like

envier: to envy; to desire

environ: about

envoûtant: spellbinding

envoyer: to send

    envoyer chercher: to send for

    s'envoyer en l'air: to act crazy

épais: thick; broad

épars: sparse

épaule (f): shoulder

    coup (m) d'épaule: help

    hausser les épaules: to shrug one's shoulders

épée (m): sword

éperdu: lost, overwhelmed

épicier (m): grocer

époque (f): time

    époque de la scolarité: when diploma granted

épouser: to marry

épouvanté: scared

époux (m): husband, groom

éprouver: to feel

épuisé: exhausted

équipe (f): team

    chef (m) d'équipe: team captain

érable (m): maple tree

    feuille (f) d'érable: maple leaf

errer: to wander

erreur (f): error

erroné: false

escalier (m): stairs

esclave (m, f): slave

espace (m): space

Espagne (f): Spain

espagnol: Spanish

espèce (f): kind, sort

    espèce de …: stupid …

espérance (f): hope

espérer: to hope

espoir (m): hope

esprit (m): spirit

    esprit de conception: imaginative spirit

essayer: to try

essuyer: to dry, to wipe

étable (f): stable

établir: to establish

établissant (établir): establishing

étage (m): floor, storey

étang (m): pond

étape (f): stage

étirer: to pull, to draw

étoffe (f): cloth

étoile (f): star

étole (f): stole

étonnant: surprising, astonishing

étonner: to astonish

étrange: strange

étranger (m): stranger, foreigner

étranger: foreign

étrangler: to strangle

étrennes (f pl): Christmas gifts

étroit: narrow, tight, small

étude (f): study

étudiant(e) (m, f): university student

étudier: to study

eurent (avoir) lieu: took place

eusse (avoir): would have

eussent (avoir): had

eusses (avoir): had

eût (avoir): had

eut: il y eut: there were, there

s'évanouir: to faint

éveiller: to awaken

événement (m): event, incident

évidemment: evidently

éviter: to avoid; to save; to spare

évoquant: remembering

exactitude (f): punctuality, exactness

exclusivité (f): exclusiveness

s'excuser: to excuse oneself

exemple (m): example

    par exemple: for example

exigence (f): demand

expirant: dying

expliquer: to explain

exposer: to display

exprès: on purpose

exprimer: to express

exquis: exquisite

extase (f): delight, ecstasy

F

face: en face de: across,
opposite
    face à: with regard to
fâché: angry
fâcher: to make angry
se fâcher: to become angry
fâcheux: annoying, aggravating
facile: easy
facilement: easily
facilité (f): ease
façon (f): manner; means; way
    à leur façon: (in) their way
    de toute façon: in any case
faible: weak
faire: to do, to make; to suit,
to fit
    ça ne fait rien: that doesn't
    matter
    faire attention: to pay
    attention
    faire bien: to suit, to fit
    faire bouger: to flutter
    faire connaissance: to meet,
    to get to know
    faire le coup: to use
    faire la critique: to criticize
    faire la fête: to party
    faire des histoires: to cause
    problems
    faire mal: to hurt
    faire une marche: to go for a
    walk
    faire mieux: to do better,
    to be better off
    faire de mon mieux: to do
    my best
    faire mourir: to kill
    faire peur: to frighten
    faire le pitre: to clown
    around
    faire signe: to beckon
    faire un somme: to take a
    nap
    faire le tour: to go around
    faire tourner: to wind up
    faire des yeux: to give a look
    nous faire la loi: to boss us
    nous faire passer pour: to
    make us look like
    se faire entendre: to be
    heard

se faire terrasser: to be
overpowered
fait (m): fact
    en fait: in fact
    tout à fait: completely
falaise (f): cliff
fallait: il fallait: it was
necessary; one had to
falloir: to be necessary, to have
to
fallu (falloir): was necessary
familièrement: casually,
familiarly
famille (f): family
    nom (m) de famille:
    surname
faneur (m): haymaker
fanfare (f): band, parade,
flourish
fanion (m): flag, pennant
fantaisiste: fanciful
fantomatique: ghostlike
farouchement: furiously
fasse (faire): do; say
fatigue (f): tiredness
faucheur (m): mower, reaper
faudrait (falloir): would have
to
faufiler: to slip
se faufiler: to filter
fausse (faux): false
faut: il faut: it is necessary
    comme il faut: thoroughly
fauteuil (m): easy chair,
armchair
faveur (f): favour
fée (f): fairy
    conte (m) de fées: fairy tale
féerie (f): fairyland
femme (f): woman; wife
    femme de ménage: cleaning
    woman
fendu (fendre): split, slit
fenêtre (f): window
    fenêtre en rond: bay
    window
fer (m): iron
    chemin (m) de fer: railway
ferme (f): farm
ferme: firm
fermement: firmly
fermer: to close

visage (m) fermé:
tight-lipped appearance
fermeture (f): lock, clasp
ferraille (f): scrap iron
ferronnerie (f): ironware
fervent: ardent, earnest
fête (f): feast day, party,
celebration, special
occasion
    faire la fête: to party
fêté: celebrated
feu (m): fire
    sac-à-feu (m): tobacco
    pouch
feuillage (m): foliage
feuille (f): leaf; sheet, page
    feuille d'érable:
    maple leaf
feuilleter: to leaf through
feuillu: leafy
feutre (m): felt hat
fiacre (m): horse-drawn cab
fiançailles (f pl): engagement
ficher le camp: to disappear, to
scram
fichu (m): shawl
fichu: terrible, awful
fidèle: loyal, faithful
fier: to entrust
se fier à: to trust
fier (fière): proud
fiévreux: feverish
figure (f): face
figurer: to take part
se figurer: to imagine
fil (m): thread, line
fin (f): end
    fin de semaine:
    weekend
fin (fine): subtle, delicate
finesse (f): fineness, sharpness,
cleverness
finir: to finish
    finir par: to end up by
    il finit par: finally he
firent (faire): did, made
fit (faire): made
flacon (m): flask
flanquer: to hit, to smash,
to land
    flanquer une bonne volée:
    to give a good beating

flatteur(euse): flattering
flèche (f): arrow
   pointe (f) de flèche: arrowhead
fléché: with an arrow design
flegmatique: calm, imperturbable
fleur (f): flower
fleuve (m): river
flot (m): wave
flotter: to float
foi (f): faith; word
foin (m): hay
fois (f): time
   à la fois: at a time
   encore une fois: once again
   reprendre deux fois: to have a second helping
   une bonne fois: once and for all
folie (f): whim, madness
folklore (m): the traditional beliefs, customs and popular art of a country
folle (fou): crazy, wild
foncé: dark
fonction (f): entrer en fonction: to start to work
fond (m): back; background; bottom; end; depths
fondation (f): founding, setting up
fonder: to found
fondre: to melt
fondu: melted
force (f): strength, force
forêt (f): forest
formation (f): training, education
forme (f): form
   sous forme: in the form
formulaire (m): form
formule (f) de commande: order form
fort: strong; heavy; very; loud; hard
fortement: strongly
fosse (f): den
fossé (m): gap; ditch
fou (m): madman
fou: crazy, wild
fouet (m): whip

coup (m) de fouet: blow with a whip
foulard (m): scarf
foule (f): crowd
four (m): oven
fournaise (f): furnace
fourneau (m): stove
fournir: to furnish, to supply
fourrure (f): fur
fous: je fous là (slang): I am doing there
foyer (m): home
fraîcheur (f): freshness
frais (m pl): expenses
frais: fresh, cool
franc (m): franc (French money)
franchement: frankly
franchise (f): frankness
francophone: French speaking
frapper: to hit, to knock, to beat
frêle: frail
frémissant (frémir): shaking, trembling
frénétique: frantic
fréquenter: to associate with
fresque (m): fresco (art)
frisé: curly, wavy
frissonner: to shiver
frit: fried
   pommes frites (f pl): French fries
froidement: coldly
froidure (f): coldness
froissé: miffed, offended, cold
fromage (m): cheese
frotté: shining, rubbed, polished
froufrous (m pl): frilly things
fruit (m): fruit
   pâte (f) de fruits: fruity paste
fruitier (m): fruit seller
fugitif: fleeing
fugue (f): flight, escape, escapade
fumée (f): smoke
   rond (m) de fumée: smoke ring
furent (être): were
furie (f): anger, fury
fus (être): was, were

fusil (m): gun
fut (être): were, was

G

gâcher: to spoil, to ruin, to waste
gager: to bet
gagner: to win; to earn
se gagner: to be won
gaine (f): sheath
galerie (f): porch
galvaudeux (m): scoundrel, bum, tramp
gant (m): glove
garçon (m): boy; waiter
   garçon d'ascenseur: elevator operator
   garçon manqué: tomboy
garder: to keep; to watch; to guard
gardien (m): watchman
gars (m): boy, guy
Gaspésie (f): a peninsula in Quebec at the mouth of the St. Lawrence River, north of New Brunswick
gaspiller: to waste
gâteau (m): cake
gâter: to spoil
gauche: left; awkward
gazeux(euse): sparkling, bubbling
géant (m): giant
geler: to freeze
gélinotte (f): grouse
Gémeaux (m): Twins, Gemini (astrology)
gendarme (m): police; soldier
gendre (m): son-in-law
gêne (f): embarrassment
générale: alim gén:
   alimentation générale (f): grocery store
génie (m): genius
genou (m): knee
genre (m): kind, sort
   genre (m) humain: mankind
gens (m pl): people
gentil: nice
geste (m): gesture, motion
gifle (f): slap, hit, smack
gigue (f): jig (dance)

gilet (m): vest, waistcoat
glace (f): mirror; ice
gloire (f): glory
   tirer gloire: to get the credit
gogo: rock, beat (music)
goguette: en goguette: tipsy
gommé: ruban (m) gommé:
   hockey tape
gorge (f): throat, neck
   avoir la gorge serrée: to be
   choked up
goût (m): taste
goûter: to taste
goûter (m): snack
goutte (f): drop, drink
grand: big, tall
   pas grand'chose: not much
   toutes grandes: very wide
grandiloquent: pompous, showy
grandir: to grow up
gras: fat, greasy
se gratter: to scratch
grave: serious
grelotter: to shiver
grève (f): beach, shore, bank
grief (m): complaint, grievance
griffe (f): claw
griffonner: to scribble
grimacer: to make faces
grisé: tipsy, intoxicated
grogner: to grunt, to grumble,
   to growl
grondement (m): scolding; roar
gronder: to scold
gros: big, fat
   en gros (m): wholesale
guère: ne … guère: hardly
guérir: to heal
guerre (f): war
guerrier (m): warrior
guerrier: of war
guignol (m): puppet, silly
   dummy

H

habillé: dressed
s'habiller: to dress
habitation (f): residence
habiter: to live
habitude (f): habit, custom
   d'habitude: usually

haillon (m): rag
haïr: to hate
hais (haïr): hate
hanche (f): hip
hardiment: heartily
hasard (m): fate; accident
hâte (f): haste
hausser: to raise, to lift
   hausser les épaules (f): to
   shrug one's shoulders
haut (m): top
haut: above; high; tall
   en haut de: up; above
hauteur (f): height, hill
hebdomadaire: weekly
hébergement (m): lodging
hein: eh? well!
hélas: alas!
hélice (f): propeller
herbe (f): grass
herculéen: huge, great,
   Herculean
hérétique: heretic
heure (f): hour; time
heureusement: happily; luckily
heureux: happy
heurt (m): bump
hier: yesterday
histoire (f): story; history
   faire des histoires: to cause
   problems
hommage (m): compliment;
   attention
honnête: honest, faithful
honneur (m): honour
   tout à l'honneur: in honour
honte (f): shame
   avoir honte: to be ashamed
   une vraie honte: a real
   disgrace
honteux: shameful
horloge (f): clock
hors d'ici!: begone!
huile (f): oil
   chauffage (m) à l'huile: oil
   heating (C)
huître (f): oyster
humain: human
hurlement (m): scream, howl,
   cry
hurler: to howl, to shout
hurluberlu (m): nitwit

I

ici: here
id. (idem): same
idée (f): idea
   se faire une idée: to make
   up one's mind
idiot: stupid
   trouver idiot: to think stupid
ignorant: stupid; not knowing
ignorer: to not know
île (f): island
il y a: there is, there are; ago
image (f): picture
   tout à l'image de: just like
imbécile (m): stupid, idiot
Immaculée Conception (f): the
   feast of the Immaculate
   Conception, December 8th
immeuble (m): building
immodéré: excessive, impolite
s'impatienter: to get impatient
importe: n'importe quel: any,
   no matter which
importun: tiresome, harassing
s'imposer: to become evident;
   to impose
imprimé: printed
inattendu: unexpected
inclus: included
incommensurablement: huge
incommodité (f): inconvenience
inconnu (m): stranger
indélicat: tactless, coarse,
   unscrupulous
indescriptible: indescribable
Indien (m): Indian
indigné: indignantly
indignité (f): indignation,
   shame
indiquer: to indicate
individu (m): individual
indolent: lazy, lethargic
indulgent: patient, lenient
infirme: crippled, invalid
infliger: to give, to inflict; to
   assess
informe: formless, shapeless
ingéniosité (f): ingenuity,
   cleverness
injures (f pl): insults, abuse
injurier: to insult

injuste: unjust, unfair
innocemment: innocently
inquiet: disturbed, upset, restless, worried
s'inquiéter: to worry
inquiétude (f): disquiet, restlessness
insouciance (f): unconcern
insouciant: carefree
s'installer: to settle
instituteur (m): elementary teacher
institutrice (f): elementary teacher
s'intéresser: to be interested
intérêt (m): interest
interner: to confine
interprète (m, f): interpreter; singer
interrogatoire (m): examination
interroger: to question
interrompre: to interrupt
inter (urbain) (m): long distance
intervenir: to intervene
investissement (m): investment
invité (m): guest
isolement (m): isolation, withdrawal
ivresse (f): ecstasy; drunkenness
ivrogne: drunk

J

jacinthe (f): hyacinth
jadis: formerly
jamais: ever
　ne … jamais: never
jambe (f): leg
jambière (f): legging
jardin (m): garden
jeter: to throw; to exclaim
　jeter un coup d'oeil: to cast a glance
　jeter par terre: to throw down
jeu (m): game
　salle (f) de jeu: recreation room
jeûner: to fast
jeunesse (f): youth

joaillier (m): jeweller
Joconde (f): Mona Lisa
joie (f): joy, happiness
joli: pretty
jouer: to play
　jouer à la marchande: to play store
jouet (m): toy
joueur (m): player
jouir: to enjoy
jour (m): day
　en plein jour: in full daylight
　jour de l'an: New Year's Day
　mis à jour: uncovered, exposed
journal (m): newspaper
journée (f): day
jugement (m) dernier: the Last Judgment
juger: to judge
jupe (f): skirt
jurement (m): oath, swear word
jurer: to curse, to swear; to clash
jusqu'à: until, up to
juste: just, true, apt, correct, fair; exactly
justement: exactly

L

là: there
　là-bas: over there
　là-dessus: thereupon
lacer: to lace up
lâche (m): coward
lâcher: to let go, to release; to break
laid: ugly
laideur (f): ugliness
laine (f): wool
laisser: to leave, to let, to allow
se laisser: to let oneself be
lait (m): milk
lancer: to shout; to throw; to start; to give off
　lancer des éclairs: to flash like lightning
langue (f): tongue; language
　tirer la langue: to stick out one's tongue

languissant: languishing, yearning
laquelle: which
large: wide
larme (f): tear
laver: to wash
lecteur (m): reader
léger: light
légume (m): vegetable
lendemain (m): the next day
lentement: slowly
lenteur (f): slowness
lequel: which one
lesdites: so-called
lettres (f pl): arts, humanities (university)
lever: to raise, to lift
se lever: to get up
libérer: to liberate
libertin: free-thinking
libre: free
licence ès lettres (f): university arts degree, B.A.
lié: close, friendly, bound
lien (m): bond, tie
lieu (m): place
　au lieu de: instead of
　avoir lieu: to take place
　donner lieu: to give rise
ligne (f): line
linge (m): clothes, wash
lire: to read
lis (m): lily
lisière (f): border, edge
lisse: straight, sleek
lit (m): bed
livre (f): pound
logement (m): apartment, lodgings
　débarrasser le logement: to clear out the house
loger: to be situated; to place, to put
loi (f): law, rule
　nous faire la loi: to boss us
loin: far
　de loin: from afar, at a distance
loisirs (m pl): spare time activities
long: long
　tout le long: all along
longtemps: for a long time
longueur (f): length

lorsque: when
louer: to rent
louis (m): (old) coin
lourd: heavy
lu (lire): read
lueur (f): shine
lumière (f): light
lune (f): moon
lutte (f): fight, struggle
luxe (m): luxury
lycée (m): high school
lycéen(ne) (m, f): high school student
lyre: oiseau-lyre (m): lyre bird, a large Australian songbird; symbol of poetry

M

machine (f) à écrire: typewriter
machines (f pl) de bureau: office machines
maçonner: to cement
magasin (m): store
  magasin à rayons: department store
maigre: thin, skinny; meager
maigri (maigrir): lost weight
main (f): hand
  sac (m) à main: purse
  taper dans ses mains: to clap
maintenir: to maintain
maison (f): house; company
maître (m): teacher; master
mal (m): hurt, harm, evil thing
mal: bad
  faire mal: to hurt
  mal à l'aise: uneasy
  pas mal: quite a lot
maladie (f): illness
maladroit: clumsy
malaise (f): discomfort
malaisé: uncomfortable; difficult
malgré: in spite of
malheur (m): unhappiness, misfortune
malheureusement: unfortunately
malheureux: unhappy; unfortunate

malhonnête: dishonest
Malin (m): the Evil One
manche (f): sleeve
mandat (m): money order
mangue (f): mango (fruit)
manière (f): way, manner
  de cette manière: in this way
manifester: to reveal
manque (m): lack
manqué: garçon (m) manqué: tomboy
manquer: to miss, to be missing; to lack
mansarde (f): attic
manteau (m): coat
  manteau de pluie: raincoat
marchand(e) (m, f): merchant; shop keeper
  marchand d'art: art dealer
  jouer à la marchande: to play store
marchander: to bargain, to haggle
marche (f): walk; step
  bonne marche: smooth flow
  faire une marche: to go for a walk
marché (m): market
marcher: to walk; to work
mardi (m): Tuesday
  mardi gras: Shrove Tuesday, a feast or carnival held the day before the beginning of Lent
mari (m): husband
se marier: to marry, to get married, to be joined
marin (m): sailor
marmite (f): pot, pan
marqué: noted, distinct
marquer: to mark, to put a mark on
marre: en a marre: had enough
marron: brown
martyre (m): martyrdom, suffering
masure (f): hut, shanty, hovel
matière (f): material
matin (m): morning
  au petit matin: early in the morning
méchanceté (f): evil, bad deed

méchant: mean, nasty, evil
mecque (f): mecca
médecin (m): doctor
  médecin-pédiatre: pediatrician, child specialist
meilleur: better, best
mélanger: to mix
mélasse (f): molasses
mêler: to mix, to mingle, to blend
même: same; even; very
  de même: like that
  le soir même: that very evening
  quand même: nevertheless
menacer: to threaten
ménage (m): housework
  femme (f) de ménage: cleaning woman
ménager: to use sparingly
ménager: (of the) household
ménagère (f): housewife, housekeeper
mendier: to beg
mener: to take, to lead; to organize
menton (m): chin
menuet (m): minuet (dance)
mer (f): sea
mère (f): mother
  belle-mère (f): mother-in-law
mériter: to deserve, to bring
merveille (f): marvel, wonder
merveilleusement: marvelously
merveilleux: marvelous
messager (m): messenger boy, office boy
messagerie (f): carrying trade
messieurs: sirs; gentlemen
mesure (f): beat; measure
  à mesure que: as
mesurer: to measure
  Combien mesurez-vous?: How tall are you?
métalliques: meubles (m pl) métalliques: metal furniture
métaux (métal) (m): metals
méthodique: methodical, regular
métier (m): trade, job, profession

métis(se): born of a white parent and an Amerindian parent
mette (mettre): put
mettre: to put (on); to take
se mettre: to put on; to place oneself
  se mettre à: to begin to
  se mettre en colère: to get angry
meubles (m pl): furniture
  meubles de bureau: office furniture
  meubles métalliques: metal furniture
meurent (mourir): die
meurt (mourir): dies
midi (m): noon
mien(ne): mine
mieux: better, best
  faire de mon mieux: to do my best
  faire mieux: to do better, to be better off
  il vaut mieux: it is better
mignon: cute, nice
milieu (m): middle; sphere, circle, environment
  au milieu de: in the middle of
militaire (m): soldier
militaire: military
mille (m): mile
mille : thousand
milliard (m): billion
millier (m): (about) a thousand
minable: shabby, scruffy, pathetic
mince: slender, long, slim
ministère (m): Ministry, Department
minuit (f): midnight
  sonner les douze coups de minuit: to strike twelve midnight
minutieusement: minutely
  minutieusement soigné: paid scrupulous attention to
mirent (mettre): put
se mirent (se mirer): are reflected
miroir (m): mirror
mis (mettre): put (on)

mis à jour: uncovered, exposed
misère (f): misery, poorness, tragedy
se mit (se mettre) à: began to
mitaine (f): mitten
mitasses (f pl): leggings
mite (f): moth
mitraillette (f): machine gun
moche: plain
mode (f): style, fashion
  à la mode: in style
modèle (m): example
moeurs (f pl): customs, manners, morals
  brigade (f) des moeurs: vice squad
moins: less, least; minus
  au moins: at least
  moins … moins: the less … the less
mois (m): month
moitié (f): half
molle (mou): soft
monde (m): world, people
  au monde: in the world
  du monde: guests
  tout le monde: everybody
monnaie (f): loose change
monsieur (m): Sir, Mister
montagne (f): mountain
montant (m) des droits: fees
montée (f): height, rise
  de grande montée grande chute: pride goes before a fall
monter: to go up; to mount; to present; to set up; to rise
montre (f): watch
montrer: to show
  montrer du doigt: to point at
se montrer: to show itself, to appear
se moquer de: to laugh at; not to care about; to pay no attention to
moquerie (f): mockery, jeering
morceau (m): piece
mordit (mordre): bit
mordu (mordre): bitten
mort (f): death
mort: dead

mortifié: humiliated, terrified, mortified
mot (m): word
mou: bland; soft
mouchoir (m): handkerchief
  mouchoir de soeur: very small
moufles (f pl): mittens
mourir: to die
  faire mourir: to kill
mousse (f): moss
moyen (m): means, way; average
se muer: to change
muet: still, quiet
muguet (m): lily (of the valley)
muni: equipped, filled
mur (m): wall
muraille (f): wall
musée (m): museum

N

naissance (f): birth
naître: to be born
Napoléon I (1769-1821): a great French general who tried to conquer Europe. He proclaimed himself Emperor of France.
nappe (f): tablecloth
narguer: to make fun of, to ridicule
natte (f): braid
navette (f): shuttle
  faire la navette: to go back and forth
  navette à tissage: weaving shuttle, spool
navire (m): boat
né: born
nécessiteux (m pl): poor people
nécessiteux: poor, needy
négliger: to neglect
neige (f): snow
  bonhomme (m) de neige: snowman
net (nette): clean; clear
  mettre au net: to make a clean copy
nettoyer: to clean

neuf: new

neutre: ordinary, neutral, neuter; conformist

néveurmagne: pronunciation of "never mind" (C)

nez (m): nose

ni: neither

  ni ... ni: neither ... nor

nippé: dressed

niveau (m): level; standard

noctambule: (of the) night

Noël (m): Christmas

  Père (m) Noël: Santa Claus

noeud (m): knot, hitch

nom (m): name

  nom de famille: surname

nombre (m): number

nombreux: numerous

nommer: to name

se nommer: to be called

nonchalamment: casually

nonne (f): nun

nord: north

  la Côte Nord: the North Shore

normale: Ecole normale (f): Teachers' College

norme (f): rule, norm

note (f): bill; note; mark

nouer: to knot

nourrir: to nourish, to feed

nourriture (f): food

nouveau: new

  de nouveau: again

nouvelle (f): short story

nouvelle (nouveau): new

nu: naked, bare

nuage (m): cloud

nuit (f): night

nul: zero

nullité (f): washout, nothingness

O

obéir: to obey

objecteur (m) de conscience: conscientious objector

obliger: to obligate

obtenir: to obtain, to get

occupé: busy

s'occuper de: to take care of

odieux: hateful, odious

oeil (m): eye

  jeter un coup d'oeil: to cast a glance

oeuf (m): egg

oeuvre (f): work (artistic)

  chef-d'oeuvre (m): masterpiece

offre (f): offer

offrir: to offer

s'offrir: to offer; to allow oneself; to afford, to treat

oiseau (m): bird

  oiseau-lyre (m): lyre bird, a large Australian songbird; symbol of poetry

ombre (f): shadow

omniprésent: everywhere

omnipuissant: all powerful

onde (f): wave

ongle (m): fingernail

or (m): gold

or: now

orage (m): storm

ordinaire: vulgar

ordinateur (m): computer

ordonné: orderly, organized; ordained

ordures (f pl): garbage

oreille (f): ear

oreiller (m): pillow

orgueil (m): pride, arrogance

orgueilleux: proud, arrogant

original: individualistic

orignal (m): moose

ornementé: decorated, ornate

os (m): bone

oser: to dare

ôter: to take off

ouais: yeah (slang)

oublier: to forget

ouest (m): west

ouille: ouch!

ouragan (m): hurricane

ours (m): bear

  ours en peluche: teddy bear

outre: other than

Outremont: a rich district in Montreal

ouvert (ouvrir): open

  tout ouvert: wide open

ouvrage (m): work

  boîte (f) à ouvrage: work basket

ouvrier (m): worker

ouvrir: to open

P

paillette (f): sequin, spangle

paix (f): peace

pâlir: to become pale

panier (m): basket

  panier à salade: paddy wagon (slang)

pantalon (m): pants

pantoufle (f): slipper

pape (m): Pope

papier (m): paper

  pâte (f) à papier: wood pulp

Pâques (m): Easter

paquet (m): package, bundle

par: by, through, out

  finir par: to end up by

  par exemple: for example

  par terre: on the ground, down

paraît (paraître): seems, appears

paraître: to appear

parcourir: to wander; to cover

par-dessous: under

par-dessus: over

pardon: excuse me

pardonner: to pardon, to forgive

paré: dressed up, distinguished; prepared

pareil: similar

  sans pareil(le): beyond compare

paresseux: lazy

parfait: perfect

parfaitement: perfectly

parfois: sometimes

pari (m): bet

parisien: Parisian

parlementer: to parley, to "sweet talk"

parmi: among

paroissien (m): parishioner

parole (f): word

partager: to share, to divide

partenaire (m): partner

parterre (m): lawn; flower bed

partie (f): part; game

  faire partie de: to be a part of, member of

  partie de tire: party of taffy pulling

partir: to leave, to go away

  à partir de: starting from, beginning (at, with)

partout: everywhere

  de partout: from all sides

parure (f): necklace

parut (paraître): seemed; appeared

pas (m): step

pas: not

  pas mal: quite a lot

passant (m): passer-by

passé (m): past

passer: to pass (by); to spend; to try, to write (an exam)

  nous faire passer: to make us look like

  passer à travers: to cross

se passer: to happen

passe-temps (m): hobby, pastime

pâte (f): paste

  pâte à papier: wood pulp

  pâte de fruits: fruity paste

patin (m): skate

patinoire (f): skating rink

patrie (f): homeland

patron (m): boss, head

paupière (f): eyelid

  coup (m) des paupières: fluttering of eyelashes

pauvre: poor

pauvreté (f): poverty

pays (m): country

paysan (m): farmer, peasant

peau (f): skin

  peau de chevreuil: buckskin

péché (m): sin

pêcher: to fish

pêcher (m): peach tree

pêcheur (m): fisherman

pédiatre:

  médecin-pédiatre (m): child specialist, pediatrician

peigner: to comb

peignoir (m): dressing gown

peindre: to paint

peine (f): trouble; pain

  à peine: hardly

  ça vaut la peine: it's worthwhile

peint (peindre): painted, paints

peintre (m): painter

peluche: ours (m) en peluche: teddy bear

pencher: to lean, to bend

pendant: while, during

pendre: to hang

pendu: hanged

pénible: difficult, painful

pensée (f): thought

penser: to think

percer: to pierce, to stab

perdre: to lose

  perdre connaissance: to faint

perdu: perplexed; lost

père (m): father; priest

  beau-père (m): father-in-law

  Père Noël: Santa Claus

perle (f): pearl, bead

perler: to set with beads; to bead; to sweat

permettre: to allow, to permit

permis (m): permit

  permis de conduire: driver's licence

perron (m): front steps, entrance, door steps

personnage (m): character

  personnage principal: main character

personne: ne … personne: no one

peser: to weigh

péter: to burst, to explode

petit: small

  au petit matin: early in the morning

  petit déjeuner (m): breakfast

pétrole (m): petroleum, oil

peu: little, few

  à peu près: about

peuplant: decorating, covering

peuple (m): people

peur (f): fear

  avoir peur: to be afraid

  faire peur: to frighten

peureux: afraid, fearful

peut-être: perhaps

pharmacien (m): pharmacist, druggist

photographie (f): picture

phrase (f): sentence

physionomie (f): face, physiognomy

physique: physical

piastre (f): dollar (C)

pièce (f): room; piece; play

pied (m): foot

  coup (m) de pied: kick

piège (m): trap

pierre (f): stone

pierreries (f pl): precious stones

pin (m): pine (tree)

pinceau (m): brush

pincement (m): pinch, tug

pincer: to pinch

pionnier (m): pioneer

piqué: dotted

pitié (f): pity

  prendre en pitié: to pity

pitre (m): clown

  faire le pitre: to clown around

placard (m): cupboard

placer: to place, to put

plafond (m): ceiling

plage (f): beach

  bois (m) de plage: driftwood

se plaindre: to complain

plaine (f): plain, prairie

plainte (f): wailing, groaning

plaire: to please

plaise: qui me plaise: which I like

plaisir (m): pleasure, joy

plan (m): map

planche (f): plank

plancher (m): floor (of room); floor (of building) (C)

plante (f): plant

se planter: to plant oneself, to position oneself

plat (m): dish, meal

plat: flat

plein: full
  en pleine campagne: in the open country
  en plein jour: in full daylight
pleurer: to weep, to cry
pleuvait (pleuvoir): rained, was raining
pli (m): crease, dart, fold
plier: to fold, to buckle
plu (plaire): pleased
  ça ne m'a pas plu: I didn't like it
pluie (f): rain
  manteau (m) de pluie: raincoat
plume (f): pen; feather
  porte-plume (m): penholder
plupart (f): most
plus: more; most
  de plus: moreover
  de plus en plus: more and more
  ne ... plus: no more, no longer
  non plus: neither
  plus dans l'vent: no longer "with it"
plusieurs: several
plutôt: rather, instead; I'd as soon
poche (f): pocket
poêle (m): stove
poésie (f): poetry
poids (m): weight
poignet (m): wrist
poing (m): fist
point (m): point; stitch; mark
  à point: well done (meat)
  ne ... point: not
pointe (f): point
  pointe de flèche: arrowhead
pois (m): dot, spot
poitrine (f): chest
  en pleine poitrine: across the whole chest
poliment: politely
politesse (f): politeness
polyvalente (f): composite high school
pomme (f): apple
  pommes frites: French fries
pompier (m): firefighter

pondéré: ponderous, thoughtful
pont (m): bridge
portager: to portage
porte (f): door
porte-plume (m): penholder
porter: to carry; to wear; to bear
se porter: to turn; to carry out
(se) poser: to stop; to lie, to rest, to place
  poser une question: to ask a question
posséder: to own, to possess
poste (m): position; station
  le poste du quartier: local police station
poste (f): post office; mail
  bureau (m) de poste: post office
pot-au-feu (m): stew
poterie (f): pot; pottery
pouce (m): thumb; inch
poudrerie (f): powdered snow, powderiness, powder
pouffer: to burst out
poumon (m): lung
poupée (f): doll
pour: for
  pour de vrai: really, for real
poursuivre: to pursue; to continue
pourtant: nevertheless; and yet
pousser: to grow; to push; to emit
  pousser un cri: to utter a shout; to cry out
poussière (f): dust
poussin (m): dear little child; chick
poutre (f): beam
pouvoir: to be able
pratique: practical
se précipiter: to hurry
préfecture (f): headquarters
préféré: favourite
premier: first
prendre: to take
  nous y prendre: to go about it
  prendre un coup: to take a drink

  prendre de l'élan: to dash forward
  prendre en pitié: to pity
prénom (m): first name
se prénommer: first name is ...
préposé (m): official
près: near
  à peu près: about
présenter: to introduce
presque: almost
pressant: pressing, insistent
  il se fait plus pressant: he becomes more insistent
se presser: to be in a hurry
prêt: ready
prétendre: to claim
prêter: to lend
prêteur (m): lender
prêtre (m): priest
prévenir: to warn; to notify
prévisible: predictable, foreseeable
prier: to ask, to beg, to pray, to request
prière (f): prayer
prirent (prendre): took
pris (prendre): taken
privation (f): deprivation, tragedy
privé: deprived; private
priver: to deprive
prix (m): price; prize
prochain (m): neighbour
prochain: next; forthcoming
produire: to produce
professorat (m): teaching
profiter de: to take advantage of, to use
profond: deep
profundis: de profundis: a burial psalm
projet (m): project
promenade (f): walk
se promener: to take a walk, to walk around
promettre: to promise
prononcer: to pronounce, to utter
propos: à propos: fitting, suitable; by the way
propre: clean; own
propriétaire (m): owner
protéger: to protect

prudemment: wisely
publicitaire: advertising
puis: then, next, so
puisque: since
puisse (pouvoir): can, may be
  able
pull (m): sweater
punir: to punish
punition (f): punishment,
  penalty
pupitre (m): desk
purgatoire (m): purgatory

Q

quai (m): wharf, pier; platform
  (train station)
quand: when
  quand même: nevertheless;
  just the same; rather, really
quant à: as for
quartier (m): neighbourhood
  poste (m) du quartier: local
  police station
quatrième: fourth
que: that, which, whom, what
  ne ... que: only
  qu'est-ce que: what
  Qu'est-ce que tu as?: What's
  the matter (with you)?
Québécois(e) (m, f): a person
  from Quebec
quel: which
quelque: some
  quelque chose: something
  quelquefois: sometimes
  quelques: a few
question (f): question
  il est question de: it is a
  question of, it is about
  poser une question: to ask a
  question
quête (f): quest, search
  en quête de: on the hunt for
queue (f): tail
qui: who, that, which
quitter: to give up; to leave, to
  take off
quoi: what
  quoi que ce soit: whatever it
  may be, anything at all
quoique: although

R

raccourcir: to shorten
  à bras raccourcis: with all
  one's might
raccrocher: to hang up
  (phone)
raconter: to tell
raconteur (m): narrator
radeau (m): raft
rafale (f): squall, gust of wind
raffiné: refined, delicate
rafraîchir: to refresh
rageur(euse): heated
railler: to jear at, to ridicule,
  to laugh at
raison (f): right
  avoir raison: to be right
ramasser: to pick up
ramener: to take back, to bring
  back, to lead
rancoeur (f): resentment
rang (m): row
ranger: to put away, to clean up
rapidement: quickly
se rappeler: to remember, to
  recall
rapport (m): connection,
  relationship
rapporter: to bring (back), to
  take back
se rapporter: to refer
ras: en a ras le bol: is fed up
raser: to shave
rasoir (m): shaver, razor
rassade (f): glass beading
rater: to fail, to miss
rattraper: to catch up
ravi: thrilled
ravissant: ravishing, charming
rayon (m): display counter;
  counter; beam
  magasin (m) à rayons:
  department store
réagir: to react
récalcitrant: stubborn,
  rebellious
recaler: to fail (exam),
  to flunk
recette (f): recipe
recevoir: to receive; to
  entertain

recevoir un coup: to be hit
recherche (f): search, research
rechercher: to seek after, to
  search for
récipiendaire (m): recipient
récit (m): story
réciter: to recite, to tell
réclamation (f): complaint,
  protest
recoin (m): corner, nook
reçoit (recevoir): receives
récolter: to gather, to collect,
  to reap, to obtain
recommencer: to start again
récompense (f): reward
réconforter: to reassure
reconnaître: to recognize
reçu: passed; admitted;
  received
recueil (m): collection
recul (m): passage; backing up
reculer: to fall, to draw, to go
  back
récupérer: to pick up
reçut (recevoir): received
redeviennent (redevenir):
  become again
redonner: to give back
redoubler: to repeat; to double
redouter: to fear, to dread
refaire: to redo, to do over; to
  go back
réfléchir: to think
reflet (m): reflection
  aux reflets d'automne: with
  autumn hues
refléter: to reflect
réflexion (f): thought;
  reflection
refrain (m): song
regard (m): look, glance
regarder: to look at
  il nous regarde faire: he
  watches us
règle (f): rule, guide
  en règle: in order
règlement (m): rule
réglementaire: prescribed
régner: to reign
regrouper: to regroup
reine (f): queen
rejoindre: to join

réjouir: to rejoice
  se réjouir avec: to be happy
  for, with
se relever: to get up,
  to rise again
religieux: religious
reluisant: shining
remarquer: to notice;
  to remark
remboursement (m): refund,
  repayment
remercier: to thank
remettre: to put off,
  to postpone
remonter: to go up (again);
  to return; to wind up
remplacer: to replace
remplir: to fill (out)
rencontrer: to meet
rendez-vous (m): date,
  appointment
rendre: to return, to give back;
  to make; to render; to arrive
  rendre service: to do a favour,
  a good turn
  rendre visite: to pay a visit
se rendre: to go
  se rendre compte:
  to realize
rendu: returned
renfermer: to enclose, to shut;
  to withdraw
renforcer: to reinforce,
  to strengthen
renouveler: to renew
renseignements (m pl):
  information
se renseigner: to find out
rentrer: to come home, to go
  home
renvoyer: to send away;
  to dismiss
répandre: to spread, to scatter
répandu: common, widespread
réparation (f): repair
réparer: to repair
repas (m): meal
répéter: to repeat
repos (m): rest; peace
  salle (f) de repos: rest room(C)
reposé: put back on
reposer: to put down; to rest

reprendre: to take up; to
  continue; to answer; to take
  again
  reprendre deux fois: to have
  a second helping
reprit (reprendre): answered;
  took up again; continued
réquisitoire (m): speech
résider: to lie, to reside
résigné: passive, resigned
résistance (f): endurance
résonner: to sound, to
  resound, to ring
respirer: to breathe
ressentir: to feel
rester: to stay, to remain
  il reste: there remains, there
  is left
restituer: to restore, to
  reinstate
retard (m): delay; late
retenir: to hold back, to
  restrain
retiré: retired
retirer: to withdraw, to take
  back
retomber: to fall back
retour (m): return
  de retour: back
retourné: upset
retrouver: to meet; to find
  again
réussir: to succeed; to pass
réussite (f): success
rêve (m): dream
révéler: to reveal
réveil (m): alarm clock
réveillon (m): festive dinner;
  midnight supper
revenir: to come back; to
  come to
rêver: to dream
rêverie (f): dreaming
revint (revenir): came back
revivre: to relive
revoir: to see again
revue (f): magazine; review
se rhabiller: to dress again
  peut toujours aller se
  rhabiller: can always beat it
riais (rire): laughed
ricanant: laughing, mocking

Richard, Maurice (1921-   ):
  star of the Montreal
  Canadian hockey team; one
  of the all-time greats
riche (m): rich kid
riche: rich
richesse (f): wealth
rideau (m): curtain
ridiculiser: to ridicule
rien: nothing
  ça ne fait rien: that doesn't
  matter
  n'avait rien: wasn't damaged
  ne soient au courant de rien:
  don't have any idea of
  what's going on
rigoler: to laugh, to chuckle; to
  joke
rigolo: funny
rire: to laugh
  éclater de rire: to burst out
  laughing
rire (m): laugh
risquer: to risk
rivière (f): river; necklace
robe (f): dress
rocher (m): rock
roi (m): king
roman (m): novel
romancier(ière) (m, f):
  novelist
romanesque: fanciful
rond (m): circle, ring
  fenêtre (f) en rond: bay
  window
  rond de fumée: smoke ring
rond: round
rotative: recycled; pulled out
rougissant (rougir): blushing
rouillé: rusted, rusty
roulement (m): rumbling,
  rolling
rouler: to roll, to run
rouspéter: to protest,
  to grumble
route (f): road
roux: red
royaume (m): kingdom
ruban (m) gommé: hockey
  tape
rue (f): street
ruelle (f): back lane

rugir: to bellow, to growl
ruineux: ruinous
ruisseau (m): brook
russe: Russian
r'viens (revenir): come back

S

sabbat (m): witches' meeting; Sabbath
sable (m): sand
sac (m): bag
  sac-à-feu: tobacco pouch
  sac à main: purse
sache (savoir): know
sacrifier: to sacrifice
sage: wise; well-behaved
sagesse (f): wisdom
saignant: very rare (meat)
saigner: to bleed
sain: healthy
saint: holy, saint
Sainte-Catherine: a street in Montreal
  coiffer sainte Catherine: to be 25 years old and unmarried
saisir: to seize, to grab; to understand
saison (f): season
salade (f): salad
  panier (m) à salade: paddy wagon (slang)
sale: dirty
salle (f): room
  salle de jeu: recreation room
  salle de repos: rest room (C)
salon (m): living room, salon
salut: hi!; bye!
sanctionner: to approve; to confirm
sang (m): blood
sans: without
santé (f): health
satanée: satanée bigre de chienne: devilish old hag
sauf: except
sauter: to jump
sauvage: wild
sauver: to save

se sauver: to escape, to flee, to run away
savoir: to know
savonner: to soap
scène (f): stage; setting; scene
scolaire: (of) school, scholastic
scolarité: époque (f) de la scolarité: when diploma granted
scrupuleux: scrupulous, meticulous, conscientious
sec: dry
  coup (m) sec: sudden blow
sèche (sec): dry
sécher: to dry
secours (m): help
séduisant: seductive, charming
séjour (m): stay, holiday
sélectionner: to choose
selon: according to
semaine (f): week
  fin (f) de semaine: weekend
semblable: similar, like
semblant: faire semblant de: to pretend
sembler: to seem
semer: to sow
sens (m): sense
sensibilité (f): sensitivity
sensible: sensitive
sentier (m): path
sentiment (m): feeling, emotion
sentir: to feel; to smell
séparer: to separate
serein: serene, calm
serin (m): canary
serrer: to grab, to squeeze
  avoir la gorge serrée: to be choked (up)
serrurerie (f): locksmith's shop; locksmithing
serrurier (m): locksmith
service (m): favour, turn
  rendre service: to do a good turn
servir: to serve, to be useful
  se servir de: to use
serviteur (m): servant
seul: alone; only
seulement: only

Sherbrooke: a street in Montreal; a city in Quebec
shoot (m): shot
si: if; so
  mais si: of course!
siège (m): seat, chair
siffler: to whistle; to blow a whistle
sifflet (m): whistle
  coup (m) de sifflet: blast of a whistle
signaler: to indicate, to signal
signe (m): sign
  faire signe: to beckon, to signal
signer: to sign
signification (f): sense, meaning
signifier: to mean
simplifier: to simplify
singe (m): monkey
singulier: strange
sinon: otherwise
sitôt: as soon as
soeur (f): sister; nun
  mouchoir (m) de soeur: very small
soi: himself, herself, oneself
  confiance (f) en soi: self-confidence
soie (f): silk
  carré (m) de soie: silk scarf
soient: ne soient au courant de rien: don't have any idea of what's going on
soigner: to take care of, to look after
  minutieusement soigné: paid scrupulous attention to
soin (m): care
  en ayant soin: taking care
soir (m): evening
  le soir même: that very evening
soirée (f): evening; party
sois (être): be
soit: O.K., all right
  quoi que ce soit: whatever it may be; anything at all
sol (m): soil, earth
soldat (m): soldier
soleil (m): sun

soleil couché: sunset
solitaire: lonely, alone
soliveau (m): girder, joist
somme (m): sleep
  faire un somme: to take a nap
somme (f): burden; amount
  bête (f) de somme: pack animal
  somme toute: after all
somptueux: grandiose, expensive
son (m): sound, tone
sondage (m): survey, opinion poll
songer: to dream, to think
sonner: to ring, to sound; to strike; to ring for
  sonner les douze coups de minuit: to strike twelve midnight
sorcier (m): sorcerer, magician
sordide: filthy, sordid
sort (m): fate
  tiré au sort: selected at random
sorte (f): kind, sort
sortir: to go out, to come out; to take out
  sortir en courant: to run out
sou (m): cent
se soucier: to worry
soudain: sudden; suddenly
soudainement: suddenly
soudé: soldered, fused
souffert (souffrir): suffered
souffle (m): breath
souffler: to breathe, to blow, to whisper
souffrance (f): suffering
souffrir: to suffer
soufre (m): sulphur
souhaiter: to wish, to want
soulagé: relieved
soulèvement (m): uprising, rebellion
soulier (m): shoe
  soulier de chevreuil: buckskin moccasin
soumettre: to submit
soupçon (m): suspicion

souper: to eat, to have supper
soupière (f): soup dish
soupir (m): sigh
soupirer: to sigh
souplesse (f): flexibility, softness
souriant: smiling
sourire: to smile
sourire (m): smile
sournois: sly, crafty
sous: under
  sous forme (f): in the form
sous-sol (m): basement
souvenir (m): memory
se souvenir de: to remember
souvent: often
soyez (être): be
spectacle (m): sight, scene, show
squelette (m): skeleton
s'ra: sera (être): will be
stage (m): course of instruction
standardiste (f): telephone operator
strophe (f): stanza
stupéfait: astonished, stunned
stupeur (f): amazement
subtilité (f): subtleness
succéder: to follow, to succeed
sucre (m): sugar
sucré(e): sweet
suffisant: enough
suggérer: to suggest
Suisse (f): Switzerland
suite (f): continuation, rest
  des suites de: as a result of
suivant: following; next
suivre: to follow
  suivre un cours: to take a course
sujet (m): subject, topic
  à son sujet: about him
  au sujet de: about
superposé: superimposed; compounded
supprimer: to do away with
sûr: sure
  bien sûr: of course
surcroît: par surcroît: in addition
sûrement: surely

surgir: to spring up
sursaut (m): jump
sursauter: to jump
surtout: especially
surveiller: to watch, to guard, to keep an eye on

T

tabac (m): tobacco
tableau (m): painting, picture; table, chart
tablier (m): apron
tache (f): stain, smudge
taché: stained
tâcher: to try
taille (f): waist; size; height
tailleur (m): suit; tailor
se taire: to be quiet
talon (m): heel
  tourner les talons: to turn on one's heels
tambour (m): drum
  tambour-major: drummer
tandis: while
tant: so much, so many
tante (f): aunt
tantinet (m): a tiny bit
taper: to hit, to tap, to clap
  se taper sur les cuisses: to slap one's thighs
  taper dans ses mains: to clap
tapis (m): cloth; rug, carpet
tapissé: hung
tapisser: to cover, to wallpaper
tapisserie (f): tapestry, wall covering
tapissier (m): wallpaperer
taquin (m): tease
taquin: teasing
tard: late
tarder: to be a long time
tarif (m): rate, tariff
tas (m): heap, bunch, pile
tasse (f): cup
taureau (m): bull
taux (m): interest
teint (m): complexion
tel(le): such
télé (f): T.V.
tellement: so
tempête (f): storm

temps (m): weather; time
  de temps en temps: sometimes
ténacité (f): strength, courage, tenacity
tendre: to hold out
tenir: to hold (out), to keep; to inherit
  tenir le coup: to stand up to, to stand it
tenter: to tempt; to try, to attempt
tenture (f): tapestry, (wall) hanging
tenu: well kept; tidy, neat
terminer: to finish, to end
terrasser: to crush, to beat
  se faire terrasser: to be overpowered
terre (f): earth
  jeter par terre: to throw down
  par terre: on the ground, down
tête (f): head
  de toute la tête: by a full head
thé (m): tea
tiède: lukewarm
tiédeur (f): warmth, tepidness
tien: yours
  les tiens: your people
tiens: here; hey, look
tient (tenir): holds
tignasse (f): mop of hair
timbre (m): stamp
timide: shy
tire (f): taffy, molasses candy
  partie (f) de tire: party of taffy pulling
tirer: to shoot; to pull; to stick out; to draw
  tiré au sort: selected at random
  tirer avantage (m): to take advantage
  tirer gloire (f): to get the credit, the glory
  tirer la langue: to stick out one's tongue
tiroir (m): drawer
tisonnier (m): poker

tissage (m): weaving
  navette (f) à tissage: weaving shuttle, spool
tisser: to weave
titre (m): title
toile (f): canvas
toilette (f): dress; toiletry articles
toit (m): roof
tolérer: to tolerate
tomber: to fall
  laisser tomber: to drop
ton (m): tone
tonnerre (m): thunder
torchère (f): lamp, light, candelabrum
torchon (m): cloth, towel
tordu (tordre): twisted
torsade (f): twist, fringe
tort (m): wrong
  avoir tort: to be wrong
se tortiller: to wriggle, to twist
tôt: soon
toucher: to touch
toujours: always
  depuis toujours: forever
tour (m): turn; trick; tour
  faire le tour: to go around
tourmenter: to torment, to torture
tournée (f): tour
tourner: to turn; to stir
  faire tourner: to turn, to wind up
  tourner les talons: to turn on one's heels
tournoyer: to twirl
tout: every, all, the whole
  somme toute: after all
  tout à coup: suddenly
  tout à fait: completely
  tout à l'honneur: in honour
  tout comme: just like
  tout le long: all along
  tout ouvert: wide open
  toutes grandes: very wide
tracas (m): trouble
traducteur (m): translator
train (m): train
  en train de: in the process of, in the middle of

traîneau (m): sled
traîner: to drag, to pull
trait (m): characteristic, trait; feature
traiter: to treat
  traiter de: to deal with
trajet (m): route, trip
tramway (m): streetcar, trolley
tranche (f): slice, piece
tranquille: quiet; alone
tranquillement: quietly
travail (m): work
travailler: to work
travailleur (m): worker
travailleur: hard working
travaux (travail) (m): work
travers:
  à travers: across, through
  de travers: wrong, backwards
  passer à travers: to cross
traverser: to cross (through)
traversin (m): bolster
trépasser: to die
trésor (m): treasure
tribu (f): tribe
tricot (m): sweater
tripoter: to mess about; to tamper with; to contrive
triste: sad
tristesse (f): sadness
troisième: third
se tromper: to be mistaken, to delude oneself
tromperie (f): deception
trottinette (f): scooter
trottoir (m): sidewalk
trou (m): hole
troué: full of holes
trouvaille (f): finding, godsend
trouver: to find
  trouver idiot: to think stupid
se trouver: to meet; to be
truc (m): "thing"; trick; gadget
truite (f): trout
tuer: to kill
tuque (f): tuque, pompom hat
se tut (se taire): became quiet

U

ulcéré: hurt, wounded, embittered

unique: only
unir: to unite, to get together
user: to use; to wear out
usine (f): factory
usure (f): shabbiness, wear; usury
usurier (m): moneylender
utile: useful
utiliser: to use

V

va (aller): suits; goes; are
  Je m'en va: je m'en vais: I am leaving (C)
  va-et-vient (m): coming and going
  va-t'en: beat it! get lost!
vacances (f pl): holidays, vacation
vachement: really; damned
vague (f): wave
vain: en vain: in vain
vaisseau (m): ship
vaisselle (f): dishes
valait (valoir): was worth, cost
valet (m): servant, butler
valeur (f): value
valise (f): suitcase
vallée (f): valley
valoir: to be worth
valser: to waltz
valu (valoir): earned
vase (f): mud, silt
vaut (valoir): is worth
  ça vaut la peine: it's worthwhile
  il vaut mieux: it is better
vécu(e)(s) (vivre): lived, spent
vedette (f): star
véhément: violent
veille (f): evening before, night before, eve; day before
veillée (f): evening
velours (m): velvet, velours
vendeur (m): salesman
vendeuse (f): saleswoman
vendre: to sell; to squeal on; to sell out
venir: to come
  venir de: to have just
  s'en venir: to come along

vénitien: Venitian, from Venice
vent (m): wind
  plus dans l'vent: no longer "with it"
vente (f): sale
venter: to be windy (C)
ver (m): worm
vérité (f): truth
verra (voir): will see
verrait (voir): would see
verre (m): glass
vers (m): line (of poetry);verse
vers: toward
Verseau (m): Aquarius (astrology)
verser: to pour, to spill
veste (f): coat, jacket
vestimentaire: (of) clothing
vêtements (m pl): clothes
vêtu: dressed
viande (f): meat; heck! (exclam.) (C)
vicaire (m): priest, curate
vide (m): emptiness
vide: empty
vider: to empty
vie (f): life
  eau-de-vie (f): brandy
vieil (vieux): old
vieillard (m): old man
vieille (vieux): old
vieilli: aged
Vierge (f): Virgo (astrology)
vieux: old
vigne (f): vine; grapes
vilain: bad, ugly
villageois (m): villager
ville (f): city, town
vin (m): wine
Vinci (Léonard de, 1452-1519): Italian painter, sculptor, architect, engineer and scientist; among his famous paintings are the *Mona Lisa, St. John the Baptist, The Last Supper*
vint (venir): came
vis (voir): saw
visa (m): stamp
visage (m): face
  visage fermé: tight-lipped appearance

visite (f): visit
  rendre visite: to pay a visit
vit (voir): saw
vitesse (f): speed
vitre (f): windowpane
vivant: alive
vivement: quickly, vigourously
vivent!: long live! hurray for!
vivre: to live
voeu (m): wish
voilà: there is, there are
  voilà-t-y: What …! (C)
voile (m): veil
voir: to see
voisin (m): neighbour
voisinage (m): neighbourhood
voiture (f): car, carriage
voix (f): voice
vol (m): theft; flight
volée (f): beating
  flanquer une bonne volée : to give a good beating
voler: to steal; to fly
voleur(euse) (m, f): thief
volontaire: strong-willed; voluntary
volonté (f): will
vôtre (m, f): yours
voudrais (vouloir): would like
voudront (vouloir): will want
vouloir: to want
  vouloir dire: to mean
voulu (vouloir): wanted
voyageur (m): traveller, voyageur
voyons!: come on! come now!
voyant (voir): bright; seeing
vrai: true, real
  une vraie honte: shame on him
  pour de vrai: really, for real
vraiment: really
vu (voir): seen
vue (f): sight, scenery
vulgaire: ordinary; vulgar

W

waters (m pl): toilet
wc (m): toilet

Y

yeux (m pl): eyes
  faire des yeux: to give a look

Acknowledgements

Arsenault, Angèle. "Je veux laisser mon nom" et "Je veux toute toute toute la vivre ma vie", Angèle Arsenault, extraits de *Première*, Les Editions Leméac, 1975.

Carrier, Roch. "Une Abominable Feuille d'érable sur la glace" de Roch Carrier, extrait de *Les Enfants du bonhomme dans la lune*, Les Editions internationales Alain Stanké, 1979. (Adapted for student use)

Champagne, Antoine. "Le Costume du Voyageur", extrait de *Petite Histoire du Voyageur* d'Antoine Champagne, La Société Historique de Saint-Boniface, 1971.

Champagne, Monique. "Le Garçon d'ascenseur", in *Sous l'écorce des jours*, Monique Champagne, Montréal, Hurtubise HMH, collection l'Arbre, 1968, pp. 31-36. (Adapted for student use)

Choquette, Robert. "La Sainte-Catherine de Colette" tiré du volume *Le Sorcier d'Anticosti*, Montréal, Les Editions Fides. (Adapted for student use)

Clairière, Pierre. "Le Diable en Gaspésie (Histoire de Rose Latulippe)", Pierre Clairière, tiré de *Contes du Saint-Laurent*, Editions Paulines, Montréal, 1983 et de Vidéo-Presse, Volume III, No. 8, Avril 1974. (Adapted for student use)

Daveluy, Paule. "La Fugue" par Paule Daveluy. Texte paru dans Vidéo-Presse, vol. XI, no. 5, janvier 1981, pp. 48-53 et dans *Pas encore seize ans ...* Montréal, Editions Paulines, 1982, 128 pages.

de Maupassant, Guy. "La Parure" by Guy de Maupassant (Adapted for student use)

Desrochers, Clémence. "T'es pas dans l'coup, maman" de Clémence Desrochers, extrait de *Sur un radeau d'enfant*, Les Editions Leméac.

George, Dan. "O Terre" et "Si tu parles aux animaux" par Dan George, tirés de *De tout mon coeur*, Les Editions Bellarmin.

Goscinny, René. "Louisette", texte par René Goscinny, illustrations par Jean-Jacques Sempé, tirés de *Le Petit Nicolas*, © Les Editions Denoël.

Lévesque, Raymond. "La Main dans la poche" par Raymond Lévesque, extrait de *On veut rien savoir*, Editions Parti Pris.

Maillet, Andrée. "Le Petit Riche" par Andrée Maillet, tiré de *La Mère et la Fille*, Librairie Beauchemin Limitée.

Pimsleur, Paul. "Les Femmes sans nom" by Paul Pimsleur, adapted from *Le Nouvel Observateur*, Paris, 2nd edition.

"Le Vol de la Joconde" by Paul Pimsleur, adapted from *L'Express*, Paris, 3rd edition.

Prévert, Jacques. "Page d'écriture", "Pour faire le portrait d'un oiseau", "Déjeuner du matin", et "Pour toi mon amour" par Jacques Prévert, tirés de *Paroles* © Editions Gallimard.

Valette, Jean-Paul and Rebecca. "L'Identité", "Les Noms", "La Carte d'identité d'Hélène Lefort", "La Personnalité", "Les Etudes", "Pour ou contre les examens", "Les Cancres de génie", "Etudes en France" (adapté), reprinted from *C'est Comme Ça,* D.C. Heath and Co.

Vigneault, Gilles. "Gens du pays" par Gilles Vigneault, Les Nouvelles Editions de l'Arc, Montréal. "Mon Pays" par Gilles Vigneault, extrait de *Avec les vieux mots*, Nouvelles Editions de l'Arc, Montréal.

Photographs — Cover Photograph, W. Iooss, The Image Bank of Canada; Pages 2, 3, Jeremy Jones; Page 7 (background photo), Lambert, Miller Services; (clockwise from top) Miller Services; Roberts, Miller Services; Roberts, Miller Services; D.C. Heath and Company; Page 14, Jeremy Jones; Pages 16, 17, D.C. Heath and Company; (bottom photo) Roberts, Miller Services; Pages 18, 19, Jeremy Jones; Page 20 (clockwise from top left) Lambert, Miller Services; Roberts, Miller Services; Camera Press, Miller Services; Lambert, Miller Services; Roberts, Miller Services; Camera Press, Miller Services; Camera Press, Miller Services; Camera Press, Miller Services; Roberts, Miller Services; Central Press, Miller Services; Page 29 Camera Press, Miller Services; Page 88, John Reeves (Carrier); Canapress Photo Services (George, Desrochers, Vigneault).